Albert Schmitz
Edith Schmitz

P9-EEA-377

IM SPIEGEL DER PRESSE 1

Texte aus westdeutschen Tageszeitungen
mit einer Einführung in das Pressewesen
der Bundesrepublik

Ein Lese- und Übungsbuch
für Fortgeschrittene

Max Hueber Verlag

Quellenangaben

Wir danken folgenden Personen, Zeitungen und Institutionen für die Abdruckgenehmigungen der Texte und Zeichnungen (in Klammern die Ausgabe der Zeitung, der das betreffende Material entnommen wurde):

Abendpost/Nachtausgabe (1. 3. 1974/8. 3. 1974); Abendzeitung (24. 4. 1974/Ostern 1974); Berliner Morgenpost (1. 7. 1973); Bild (9. 7. 1973/12. 7. 1973/30. 7. 1973); BZ (5. 3. 1974/11. 3. 1974); Der Tagesspiegel (1. 7. 1973); Deutsche Presse-Agentur; Die Welt (15. 1. 1974); Düsseldorfer Nachrichten (1. 3. 1974); Frankfurter Allgemeine Zeitung (21. 7. 1973); Frankfurter Rundschau (25. 1. 1974); Globus Kartendienst; Hamburger Abendblatt (21. 3. 1974/2. 4. 1974); Hamburger Morgenpost (24. 7. 1973); Hannoversche Allgemeine (30. 7. 1973); Kieler Nachrichten (5. 3. 1974/2. 4. 1974); Kölner Stadt-Anzeiger (7. 6. 1973/26. 7. 1973); Kölnische Rundschau (28. 2. 1974); Hans-Otto Lohrengel, Porz; Münchner Merkur (9. 7. 1973/18. 8. 1973); Nordpress Verlag; NRZ (Ostern 1974); Rheinische Post (23. 2. 1974); Schele-Schule, Berlin; Werner H. Scheuring, Barcelona; Hans Joachim Stenzel, Berlin; Stuttgarter Zeitung (6. 2. 1974); Süddeutsche Zeitung (4. 1. 1974/30. 1. 1974/27. 9. 1974); The Associated Press; Verkehrsamt der Stadt Lenggries; Weser Kurier (3. 4. 1974); Westdeutsche Allgemeine Zeitung (30. 7. 1973); Westfälische Rundschau (21. 7. 1973/29. 1. 1974); Erika-Heide Zobel, Rodenkirchen.

Verlagsredaktion: Manfred Glück

PF
3117
.S36 / 67460
1975
Vol. 1

ISBN 3-19-00.1242-3
© 1975 Max Hueber Verlag München
4 3 2   1981 80 79 78 77
Die jeweils letzten Ziffern bezeichnen Zahl und Jahr des Druckes.
Alle Drucke dieser Auflage können nebeneinander benutzt werden.
Satz und Druck: Druckerei Georg Appl, Wemding
Printed in Germany

Inhaltsverzeichnis

3

Vorwort

Mit dem Buch *Im Spiegel der Presse 1* soll dem fortgeschrittenen Deutschlernenden nicht nur eine Lektüre in die Hand gegeben werden, sondern auch ein Übungsbuch.

Die Texte wurden so ausgewählt, daß sie einen möglichst anregenden Anstoß für kritische Diskussionen aktueller Probleme geben. Zudem stehen sie in engem Zusammenhang mit den im 2. und 3. Band von *Deutsch 2000* angesprochenen Themen, so daß sich *Im Spiegel der Presse 1* ganz besonders als zusätzliche Lektüre zu diesem Lehrwerk eignet.

Die Hintergrundinformationen in der Einleitung und bei den einzelnen Tageszeitungen sollen in knapper Form einen Einblick in die Vielfalt der Presse in der Bundesrepublik geben.

Die Sprachübungen lassen sich sowohl im Unterricht als auch in häuslicher Arbeit durchnehmen – sollte der letztere Schritt gewählt werden, haben die Kursteilnehmer die Möglichkeit, ihre Lösungen anhand des Schlüssels zu überprüfen. Bei der Zusammenstellung der Übungen wurde besonders auf Vielfalt geachtet, damit das Interesse der Lernenden erhalten bleibt.

Die vermischten Presseberichte am Schluß des Buches können nach Ermessen des Kursleiters in den Unterricht eingestreut bzw. als zusätzliche Diskussionsanstöße oder Diktate verwendet werden.

Im Spiegel der Presse 1 – wie auch Band 2, der sich mit Wochenzeitungen und Illustrierten befaßt – kann als Grundlage für Konversationskurse sowie als Begleitmaterial in fortgeschrittenen Kursen Verwendung finden.

Verfasser und Verlag

Tageszeitungen in der Bundesrepublik Deutschland

1. Die heutige Situation

In der Bundesrepublik Deutschland gibt es im Gegensatz zu anderen Ländern – wie zum Beispiel Großbritannien – nur relativ wenige überregionale Tageszeitungen. Das Bild wird von der Vielzahl der regionalen und lokalen Blätter geprägt.

Wirklich überregional – das heißt also in allen Teilen des Landes weit verbreitet – sind nur vier Tageszeitungen: *Bild-Zeitung* (mit Lokalredaktionen in vielen Städten), *Die Welt, Frankfurter Allgemeine* und *Süddeutsche Zeitung.* Hinzu kommt noch das *Handelsblatt,* das aber als spezialisierte Wirtschafts- und Handelszeitung außerhalb unserer Betrachtung liegt.

Die Bedeutung dieser überregionalen Blätter zeigt sich unter anderem in der Mitgliedschaft in der T.E.A.M.-Gruppe (= top European advertising media), einem Zusammenschluß europäischer Spitzenzeitungen zur Koordinierung des Anzeigenmarktes: außer der *Frankfurter Allgemeinen,* der *Süddeutschen Zeitung* und der *Welt* findet man zum Beispiel *Le Monde* (Frankreich), *The Daily Telegraph* (Großbritannien), *Aftenposten* (Norwegen), *Neue Zürcher Zeitung* (Schweiz) und *Berlinske Tidende* (Dänemark) in dieser Gruppe.

International zählen die *Welt,* die *Süddeutsche* und die *Frankfurter* zu der Gruppe der allgemein geachteten Qualitätszeitungen, in der man auch zum Beispiel *The Guardian* (Großbritannien), *The New York Times* (USA), *Asahi Shimbum* (Japan), *Excélsior* (Mexiko), *O Estado de São Paulo* (Brasilien), *Washington Post* (USA), und *St. Louis Post-Dispatch* (USA) findet.

Wie in anderen Ländern, werden auch in der Bundesrepublik die Tageszeitungen in zwei große Gruppen unterteilt: die seriösen Blätter und die Boulevardzeitungen. Diese Einteilung ist nicht immer perfekt, da man bei manchen Blättern nur schwer sagen kann, zu welcher Gruppe sie zu zählen sind.

Das markanteste Beispiel eines Boulevardblatts ist die *Bild-Zeitung*, die sich nach ihrer Gründung in unheimlicher Schnelle im ganzen Land verbreitet hat. Weitere Beispiele in dieser Gruppe: *Express* (Köln und Düsseldorf), *BZ* (Berlin), *Hamburger Morgenpost*, *Abendzeitung* (München), *Abendpost* (Frankfurt und *TZ* (München).
Diese populären Blätter folgen inhaltlich dem schon recht alten Erfolgsrezept – Sex, Verbrechen und Sport –, das schon vielen anderen Zeitungen (zum Beispiel dem britischen *Daily Mirror* oder der *New York Daily News*) Millionenauflagen verschafft hat. Darüber hinaus bezieht sich der Begriff „Boulevardzeitung" auch auf die Aufmachung des Blattes: knallige Überschriften, Sensationen auf der ersten Seite, viele Bilder, große Schrift und meistens zweifarbiger Druck. Probleme und Ereignisse werden oft stark vereinfacht dargestellt. Und hier setzt auch die Hauptkritik ein: wenn ein Mensch seine Informationen nur aus Boulevardblättern erhält, so sagen viele, kann er unmöglich wissen, was wirklich in der Welt und in seinem Land vorgeht.

Zu den seriösen regionalen Zeitungen, deren Meinung man in vielen Kreisen ernst nimmt, gehören unter anderem: *Frankfurter Rundschau, Tagesspiegel* (Berlin), *Stuttgarter Zeitung, Kölner Stadt-Anzeiger* und *Westdeutsche Allgemeine Zeitung* (Essen), die in letzter Zeit die früher selbständigen Publikationen *NRZ Neue Ruhr-Zeitung* (Essen) und *Westfälische Rundschau* (Dortmund) übernommen hat.
Die große Zahl der regionalen und lokalen Zeitungen macht eine vollständige Aufstellung unmöglich. Daher seien hier nur einige der bekanntesten und wichtigsten Tagezeitungen genannt (geordnet nach Auflagenhöhe):

> Bild-Zeitung 4 487 000
> Westdeutsche Allgemeine Zeitung (Essen) 1 153 000
> Express (Köln und Düsseldorf) 507 000
> Rheinische Post (Düsseldorf) 409 000
> Frankfurter Allgemeine Zeitung 370 000
> BZ (Berlin) 351 000
> Südwest Presse (Ulm) 322 000
> Süddeutsche Zeitung 320 000
> Abendzeitung (München) 305 000
> Hamburger Morgenpost 300 000

Hamburger Abendblatt 270 000
Kölner Stadt-Anzeiger 259 000
Die Welt 242 000
Berliner Morgenpost: 200 000
Frankfurter Rundschau 200 000
Hannoversche Allgemeine Zeitung 190 000
Münchner Merkur 190 000
Stuttgarter Zeitung 180 000
Weser Kurier (Bremen) 180 000
Kölnische Rundschau 174 000
Tagesspiegel (Berlin West) 133 000

Insgesamt erscheinen in der Bundesrepublik etwa 380 Tageszeitungen mit einer Gesamtauflage von rund 20 000 000 Exemplaren. Auf 1000 Einwohner kommen demzufolge 319 Exemplare (zum Vergleich: Australien 321, Chile 89, Frankreich 238, Großbritannien 463, Italien 146, Japan 510, Peru 118, Schweden 534, Spanien 99, UdSSR 347, USA 301).

2. Politische Tendenzen

Über 90 Prozent der bundesdeutschen Tageszeitungen erheben den Anspruch, „unabhängig" und „überparteilich" zu sein. Was ist darunter zu verstehen? Bedeutet es, daß sie „neutral" sind? Daß sie keine politische Meinung vertreten?

Unter „unabhängig" versteht man im allgemeinen, daß ein Blatt nicht unter der Kontrolle einer Partei oder einer anderen Organisation steht, weder finanziell noch ideologisch. Mit wenigen Ausnahmen sind alle Tageszeitungen unabhängig in diesem Sinne.

Der Begriff „überparteilich" ist etwas schwieriger zu definieren. Wenn man darunter „gegenüber allen großen Parteien gleich kritisch" versteht, so gibt es kaum eine Zeitung, die sich als überparteilich bezeichnen könnte. Fast alle Blätter neigen zu der einen oder anderen politischen Richtung und damit zu der einen oder anderen Partei. Soll „überparteilich" jedoch heißen, daß eine Zeitung nicht ständig im Sinne einer Partei schreibt, so können

8

viele bundesdeutsche Blätter diese Bezeichnung für sich in Anspruch nehmen.

Neutral ist keine der Tageszeitungen, da sie alle von Menschen gemacht werden, die eine Meinung haben und diese auch vertreten. Unfair, einseitig und „parteilich" wird die Berichterstattung erst dann, wenn Tatsachen, die gegen die eigene politische Meinung sprechen, einfach ignoriert oder verdreht werden.

Eine Einteilung der Tageszeitungen nach ihrer politischen Einstellung ist problematisch, da die Begriffe nicht immer klar zu definieren sind. Wenn man trotzdem versucht, eine Trennung durchzuführen, könnte sie etwa so aussehen:

- konservative politische Grundhaltung: die Zeitung vertritt im wesentlichen die Ideen der Christlich Demokratischen Union (CDU) oder der Christlich Sozialen Union (CSU), stimmt jedoch nicht immer mit diesen Parteien überein; im allgemeinen bezeichnet man diese Grundhaltung auch als „rechts"; wesentliche Merkmale: gegen jede Art von Sozialismus oder Kommunismus, für die Unterstützung der Unternehmer, unterhält enge Verbindungen zur Kirche, gegen die gleichberechtigte Mitbestimmung der Arbeitnehmer bei Entscheidungen im Betrieb

- liberale politische Grundhaltung: in diesen Zeitungen werden oft Artikel unterschiedlicher politischer Richtung veröffentlicht – von leicht konservativ bis leicht sozialdemokratisch; im wesentlichen vertreten diese Zeitungen jedoch die Ideen der Freien Demokratischen Partei (FDP) oder der Sozialdemokratischen Partei Deutschlands (SPD)

- sozialdemokratische politische Grundhaltung: die Zeitung vertritt im wesentlichen die Ideen der Sozialdemokratischen Partei Deutschlands (SPD) und wird auch als „links" oder „linksliberal" bezeichnet; wesentliche Merkmale: für „demokratischen Sozialismus" – Beteiligung der Arbeitnehmer an den Entscheidungen im Betrieb und am Gewinn der Unternehmer, Kontrolle der Großunternehmen, staatlicher Einfluß an kritischen Punkten der Wirtschaft, allgemeine Unterstützung der Arbeitnehmerinteressen

Diese Einteilung ist nur ein Hilfsmittel: Mischformen sind recht häufig, und viele Zeitungen lassen sich nur schwer einstufen. Auch bedeuten Begriffe wie „politisch konservativ", „politisch liberal" oder „politisch sozialdemokratisch" nicht, daß die betreffende Zeitung auf allen Gebieten – Politik, Wirtschaft, Kultur, Erziehung und Bildung – diese Richtung konsequent beibehält.

3. Zeitungskonzerne

In der Bundesrepublik ist – wie auch in anderen Ländern – ein deutlicher Trend zur Konzentration zu erkennen: die großen Verlage kaufen die kleineren auf und kontrollieren so immer mehr Zeitungen.

Wenn man die Gründe dafür sucht, so wird man sie hauptsächlich in folgenden Punkten finden:

- steigende Kosten für Herstellung und Vertrieb, die sich nur durch Rationalisierung ausgleichen lassen
- hohe Investitionen für moderne Maschinen, die keiner der kleinen Verlage aufbringen kann
- Steuervorteile durch Konzentration
- besserer Schutz vor dem Risiko, zum Beispiel in wirtschaftlich schlechteren Jahren
- stärkere Position im Wettbewerb mit den anderen Massenmedien (zum Beispiel Fernsehen und Rundfunk)

Der Springer-Konzern ist die größte Zeitungs- und Zeitschriftengruppe der Bundesrepublik, ja des ganzen europäischen Kontinents (außer Großbritannien). Axel Cäsar Springer, der Chef des Hauses, gibt folgende Tageszeitungen heraus:

Bild-Zeitung 4 487 000
Hamburger 270 000
Die Welt 242 000
BZ (Berlin) 351 000
Berliner Morgenpost 200 000

Hinzu kommen zahlreiche große Zeitschriften und Illustrierten, die zum Teil Millionenauflagen haben.

In Berlin allein haben die Zeitungen des Springer-Konzerns einen Anteil von etwa 60 Prozent am Gesamtverkauf. Eine solche Konzentration hat in den letzten Jahren immer wieder Proteste ausgelöst: viele Kritiker befürchten, daß so viel Macht in einer Hand zu leicht mißbraucht werden könnte. Axel Cäsar Springer ist zudem sehr an der Politik seiner Blätter interessiert und richtet alle auf die gleiche konservative Grundhaltung aus.

Es gibt noch weitere wichtige Konzerne (zum Beispiel Gruner und Jahr, Heinrich-Bauer-Verlag, Burda), die jedoch ihre größte Bedeutung auf dem Gebiet der Illustrierten und Zeitschriften haben.

4. Die Informationsquellen

Ein wesentliches Merkmal für die Qualität einer Tageszeitung ist die Zahl ihrer Auslandskorrespondenten: seriöse, qualitativ hochwertige Zeitungen versuchen immer, möglichst viele eigene Korrespondenten in anderen Ländern zu haben, um zuverlässige Informationen zu erhalten.

Trotzdem kann es sich keine Zeitung leisten, alle Informationen über die eigenen Korrespondenten zu holen. Alle Zeitungen sind daher der Deutschen Presse-Agentur (dpa) und einigen anderen Nachrichtenagenturen angeschlossen.

Die Deutsche Presse-Agentur – gegründet 1949 – wird von über 200 Gesellschaftern getragen, von denen keiner mehr als ein Prozent des Kapitals erwerben darf, um Machtkonzentrationen zu verhindern. Sie ist also unabhängig und auch überparteilich, da sie Zeitungen aller politischen Richtungen mit Informationen versorgt.

Außer dpa gibt es in der Bundesrepublik noch deutschsprachige Dienste der amerikanischen Presseagentur Associated Press (AP) und der französischen Agentur Agence France-Press (AFP).

Weitere Informationsquellen sind die Pressestellen der großen Organisationen und Verbände und der Bundesregierung.

5. Pressefreiheit

Die Grundlage der Pressefreiheit in der Bundesrepublik Deutschland ist das Grundgesetz, in dem es heißt: „Jeder hat das Recht, seine Meinung in

Wort, Schrift und Bild frei zu äußern und zu verbreiten und sich aus allgemein zugänglichen Quellen ungehindert zu unterrichten. Die Pressefreiheit und die Freiheit der Berichterstattung durch Rundfunk und Film werden gewährleistet. Eine Zensur findet nicht statt." Behörden haben sogar die Pflicht, dem Bürger – und damit natürlich auch der Presse – Auskünfte zu erteilen, es sei denn, Rechte würden verletzt. Selbstverständlich gibt es immer wieder Konflikte zwischen dem Informationsrecht des Bürgers und dem Wunsch der Behörden und Amtsstellen, Informationen geheim zu halten.

Der Pressefreiheit sind auch dort Grenzen gesetzt, wo die Persönlichkeit und das Privatleben des Einzelnen berührt werden. Wenn eine Zeitung unbewiesene Behauptungen aufstellt – um nur ein Beispiel zu nennen –, kann der betroffene Bürger eine sogenannte Gegendarstellung verlangen: seine Meinung muß in dem Blatt veröffentlicht werden. Es kommt vor, daß so Behauptung gegen Behauptung stehen und ein Gericht versuchen muß, die Angelegenheit zu klären.

Eine ernste Gefährdung der Freiheit kleinerer Lokalzeitungen ergibt sich aus der Tatsache, daß ein großer Teil ihrer Einnahmen aus Anzeigen herrührt. Dadurch können zum Beispiel die Betriebe eines kleinen Ortes Druck auf die Redaktion der Lokalzeitung ausüben: wenn das Blatt nicht schreibt, was der Anzeigenkunde will, wird es keine Anzeigen mehr erhalten.

Um die journalistische Sorgfalt zu überwachen, wurde 1956 der Deutsche Presserat gegründet, eine Vereinigung von Journalisten und Verlegern (zehn aus jeder Gruppe). Er hat zwar keine Möglichkeit, Strafen auszusprechen, kann aber doch durch seine Kritik an Mißständen großen Einfluß ausüben. Vor einiger Zeit hat der Presserat Grundsätze aufgestellt, die die Arbeit der Journalisten leiten sollen. Dort heißt es zum Beispiel:

„Achtung vor der Wahrheit und wahrhaftige Unterrichtung der Öffentlichkeit sind oberstes Gebot der Presse."

„Zur Veröffentlichung bestimmte Nachrichten und Informationen in Wort und Bild sind mit der nach den Umständen gebotenen Sorgfalt auf ihren Wahrheitsgehalt zu prüfen. Ihr Sinn darf durch Bearbeitung, Überschrift oder Bildbeschriftung weder entstellt noch verfälscht werden."

„Veröffentlichte Nachrichten oder Behauptungen, die sich nachträglich als falsch erweisen, hat das Publikationsorgan, das sie gebracht hat, unverzüglich von sich aus in angemessener Weise richtigzustellen."

„Die Verantwortung der Presse gegenüber der Öffentlichkeit gebietet, daß redaktionelle Veröffentlichungen nicht durch private oder geschäftliche Interessen Dritter beeinflußt werden. Verleger und Redakteure wehren derartige Versuche ab und achten auf eine klare Trennung zwischen redaktionellem Text und Veröffentlichungen zu werblichen Zwecken."

6. Probleme und Aussichten

Seit der Einführung des Fernsehens ist die Lage der Tageszeitungen merklich schwieriger geworden. Da man die Nachrichten abends schon im Fernsehen gesehen hat, ist das Interesse an der Morgenzeitung kleiner geworden. Viele Zeitungen legen daher mehr Wert auf Hintergrundinformationen als auf reine Nachrichten: sie versuchen, die verschiedenen Probleme ausführlicher darzustellen und zu analysieren, als es das Fernsehen kann.

Umstellungen und Änderungen kann es auch in den Redaktionen geben: Redakteure und Journalisten verlangen ein Mitspracherecht, wenn es um wichtige Entscheidungen in der Redaktion und im Verlag geht. Diese Entscheidungen wurden bis jetzt in den meisten Fällen vom Besitzer oder Herausgeber der Zeitung getroffen.

Die Entwicklung der Auflagenhöhe der Tageszeitungen läßt jedoch hoffen, daß trotz vieler Schwierigkeiten ein vielfältiges Zeitungsangebot erhalten bleibt.

Abendzeitung

8 Uhr-Blatt

Politessen aus ganz Europa
beraten in München Parkprobleme

Bei Frau Hauptmann gibt es Rabatt

Von Bernd Eberle

München — Milagros Casero Nuno (23), Politesse aus Madrid, kommt ertappten Verkehrssündern großzügig entgegen: Bei Barzahlung gibt die junge Dame bis zu zwanzig Prozent Rabatt. Casero Nuno ist eine von zehn Politessen aus zehn europäischen Hauptstädten, die gestern in München mit Vertretern des ADAC Parkprobleme erörterten, die in der kommenden Reisezeit wieder vielen Autofahrern zu schaffen machen werden.

Zwischen der Spanierin und ertappten Autofahrern gibt es keine großen Debatten: Sie ist Hauptmann und gebietet über 45 motorradfahrende Damen, die ebenfalls keinen Pardon kennen.

Noch mehr zu fürchten als „Frau Hauptmann" sind die Politessen aus Stockholm.

Ihre Vertreterin, Hannelore Eriksson (24): **„Ich habe in meiner vierjährigen Tätigkeit rund 36 000 Fahrzeuge abschleppen lassen."**

Der Abschleppdienst wird in der schwedischen Hauptstadt besonders rigoros durchgeführt: Einmal in der Woche ist für jede Straße in Stockholm Nachtfahrverbot, damit die Straßenreinigungskommandos nicht behindert werden.

In London heißt die Politesse „Verkehrswärterin". **June Harwood (23), hat ein Herz für ausländische Autofahrer: „Die bekommen bei mir zuerst einmal einen Verwarnungszettel."**

14

Deutsche Ehemänner besser als ihr Ruf

London — Die deutschen Ehemänner sind in puncto Hausarbeit besser als ihr Ruf — die vielgerühmten Engländer dagegen sehr viel schlechter. Nach einer Studie der Londoner Universität hilft der deutsche Durchschnittsmann seiner Frau an seinem freien Tag genau drei Stunden und 21 Minuten bei der Hausarbeit.

Der Engländer dagegen, der nach allgemein verbreiteter Ansicht seiner Frau auch wochentags das Frühstück ans Bett bringt, opfert dagegen nur zwei Stunden und 42 Minuten für das lästige Geschirrspülen, Staubsaugen oder Fensterputzen. Der Studie zufolge ist er damit das Schlußlicht von zwölf Industrienationen in Ost und West, die von den Forschern unter die Lupe genommen wurden. Die ersten sechs Plätze nehmen Ostblockstaaten ein — allen voran Bulgarien mit fünf Stunden Hausarbeit.

Herr Hirnbeiß

Zeichnung: Fr. Bilek

„Liaber koa Wetter, als a so a Wetter!"

Erscheinungsweise: werktags morgens
Auflage: 305 000
Verlag: Die Abendzeitung GmbH & Co KG, Sendlinger Straße 79, D-8000 München 2
Gründungsjahr: 1948
Allgemeine politische Richtung: liberal

Die *Abendzeitung,* ein Boulevardblatt, ist die größte Münchner Zeitung. Sie hat im Münchner Raum sehr hart zu kämpfen, da die *Bild-Zeitung* durch ihre Lokalredaktionen überall eine starke Konkurrenz darstellt.

Inhaltlich entspricht die *Abendzeitung* im wesentlichen dem, was unter *Bild* und *Hamburger Morgenpost* über den Stil und die Art der Berichterstattung einer Boulevardzeitung gesagt wird.

15

1. Fragen zum Text „Bei Frau Hauptmann gibt es Rabatt":

a. Warum kamen Politessen aus aller Welt nach München?
b. Was sagt der Artikel über den Abschleppdienst in Stockholm?
c. Wie werden ausländische Autofahrer in London behandelt?

2. Fragen zum Text „Deutsche Ehemänner besser als ihr Ruf":

a. Wer hat festgestellt, daß deutsche Ehemänner besser als ihr Ruf sind?
b. Wie lange hilft der deutsche Ehemann seiner Frau im Haushalt?
c. In welchen Ländern helfen Ehemänner am längsten im Haushalt?

3. Diskussionsthemen:

a. Gibt es Berufe, die nur von Männern ausgeführt werden sollten?
b. Sollten Männer im Haushalt helfen?
c. Haben Frauen in Ihrem Land die gleichen Rechte wie Männer?

4. Wandeln Sie bitte die Sätze nach folgendem Muster um:

> Die deutschen Ehemänner sind in puncto Hausarbeit viel besser als ihr Ruf. (Der Reporter vertrat die Meinung, ...)
>
> Der Reporter vertrat die Meinung, daß die deutschen Ehemänner in puncto Hausarbeit viel besser seien als ihr Ruf.

a. Die Politessen in Madrid kommen ertappten Verkehrssündern großzügig entgegen (Die Zeitung schrieb, ...)
b. Milagros Casero Nuno ist eine von den zehn Politessen, die in München mit Vertretern des ADAC sprachen. (Der Bericht erwähnte auch, ...)
c. Eine der Politessen hat in ihrer vierjährigen Tätigkeit rund 36 000 Fahrzeuge abschleppen lassen. (Eine Kollegin berichtete, ...)
d. Einmal in der Woche ist für jede Straße in Stockholm Nachtfahrverbot. (Es wurde auch davon gesprochen, ...)

5. Setzen Sie bitte in jede Lücke ein passendes Wort ein:

a. Jeder Autofahrer muß mit einem Protokoll rechnen, wenn er falsch geparkt . . . . . **b.** Parkprobleme . . . . . den Autofahrern in allen Großstädten der Welt zu schaffen. **c.** Die Ehemänner in den Ostblockstaaten nehmen in der Statistik einen guten Platz . . . . . **d.** Deutsche Ehemänner halfen ihren Frauen hin und wieder . . . . . der Hausarbeit.

Erläuterungen zum Text „Bei Frau Hauptmann gibt es Rabatt":

Politessen: Frauen, die zur Entlastung der Polizei in der Verkehrsüberwachung eingesetzt werden
er wurde ertappt: er wurde gefaßt oder „erwischt"
Verkehrssünder: Autofahrer, die falsch gefahren sind oder an einer Stelle geparkt haben, an der es nicht gestattet ist
ADAC: Allgemeiner Deutscher Automobilklub
zu schaffen machen: Schwierigkeiten verursachen
sie gebietet über 40 Damen: sie hat die Leitung einer Gruppe von 40 Damen
sie kennt kein Pardon: sie läßt keine Entschuldigung gelten
abschleppen lassen: (ein Auto) abtransportieren lassen
rigoros: streng
Straßenreinigungskommando: Arbeiter der Straßenreinigung
sie hat ein Herz für ausländische Autofahrer: sie hat Verständnis für ausländische Autofahrer
Verwarnung: Ermahnung (ohne Strafe)

Erläuterungen zum Text „Deutsche Ehemänner besser als ihr Ruf" und zur Karikatur:

in puncto Hausarbeit: was die Hausarbeit angeht
zwei Stunden für die Hausarbeit opfern: zwei Stunden Hausarbeit machen
Schlußlicht: der Letzte (z. B. in einer Tabelle)
unter die Lupe nehmen: ganz genau betrachten oder untersuchen
Liaber koa Wetter, als a so a Wetter *(bayerischer Dialekt)*: Lieber kein Wetter, als so ein Wetter

BERLINER MORGENPOST

ÜBERPARTEILICH · Lokal-Anzeiger · UNABHÄNGIG

Eine gute Sache: Pannenkurse nur für die Frau am Steuer

Wagenheber und Schraubenschlüssel

Frauen am Steuer? Das ist längst unser Alltag, das nimmt niemand mehr zur Kenntnis. Doch Frauen mit Wagenheber und Schraubenschlüssel? Das paßt immer noch nicht so recht in unser Bild. Ist Technik nichts für zarte Hände? Gelehrige Schülerinnen sind Frauen jedenfalls auch in Sachen Technik, wie jetzt ein Pannenkurs, ein ganz und gar weiblicher Pannenkurs, bewies ...

Sie wollen sich selbst helfen können, wenn Lämpchen am Armaturenbrett aufflackern. Lernbegierig saßen sie deshalb in der letzten Woche in einer Werkstatt in der Saldernstraße in Charlottenburg. An drei Abenden jeweils sechzig Frauen — noch drei Abende hätten es sein können, so viele Interessentinnen hatten sich gemeldet. Eine

Frau führte die Runde an: Heidi Hetzer, die gemeinsam mit dem AvD diese kostenlosen Pannenkurse für Frauen veranstaltete.

Ein oder zwei, aber auch fünfzehn und zwanzig Jahre alt waren die Führerscheine, die die Autofahrerinnen in ihren Handtaschen hatten. Die meisten fahren täglich, sie haben einen eigenen Wagen. Sie sind berufstätig. Aber auch Nur-Hausfrauen kamen, die höchstens auf Reisen ihre Männer am Steuer ablösen.

Eine Stunde Theorie. Fast schon zu lange, aber ein bißchen Auffrischung konnte nicht schaden. Man hatte doch eine ganze Menge vergessen über die Absicherung der Gefahrenstelle, über das Abschleppen eines Fahrzeuges oder die Stärke der Reifenprofile.

Oskars Knallkopp drückt an der falschen Stelle auf die Tube

18

Wasser und Seife

Dann zwei Stunden Praxis. Einige hatten sich vorsorglich Handschuhe mitgebracht, für die anderen gab es hinterher Wasser und Seife. Endlich durfte man selbst den Wagenheber ansetzen, durfte die Radkappen lösen und Radmuttern mit einem Kreuzschlüssel lösen. Scheinwerferwechsel, Auswechseln der Scheibenwischblätter — und die Monteure steuerten aus ihrer Trickkiste viele eigene Ratschläge bei.

Kann man einen solchen Kursus verbessern? Wenn ja, wie verbessern? Die Antworten: Viel mehr Praxis, viel mehr Übungsstunden müßten möglich sein. Pannenkurse nur für Frauen am Steuer sollten üblich werden, dafür würden viele Berliner Autofahrerinnen auch gern Geld bezahlen. **M. Bähnsch**

Erscheinungsweise: dienstags bis sonntags morgens
Auflage: 200 000
Verlag: Ullstein GmbH, Kochstraße 50, D-1000 Berlin 61 (Teil des Springer-Konzerns)
Gründungsjahr: 1898
Allgemeine politische Richtung: konservativ

Die *Berliner Morgenpost* ist eine seriöse Regionalzeitung, was natürlich nicht bedeutet, daß sie nur Nachrichten von lokalem Interesse veröffentlicht. Die Titelseite zeigt – wie bei allen seriösen Zeitungen – die neuesten Ereignisse aus der internationalen und der deutschen Politik und gibt einen Überblick über die letzten Meldungen, die dann oft im Innern der Zeitung ausführlicher behandelt werden.

Politisch ist die *Berliner Morgenpost* überparteilich, jedoch sehr stark engagiert. Schon 1927 schrieb ein Journalist in einem Leitartikel: „In diesem Hause wird geistig gekämpft, nicht nur nach außen hin, mit der Front gegen politisch anders Gerichtete. Aber der Kampf gegen außen und innen ist nicht diktiert von einem egoistischen Haß. Dahinter steckt die Liebe zur Sache."

Der lokale Teil ist recht umfangreich und befaßt sich mit den Ereignissen und Problemen West-Berlins. Weitere wichtige Teile der Zeitung: Sport – deutsche und internationale Berichte; Wirtschaft – Probleme und Entwicklungen; Unterhaltung – Romane, Kreuzworträtsel, Karikaturen und Witze; Feuilleton – kulturelle Nachrichten und Informationen.

1. **Fragen zum Artikel „Wagenheber und Schraubenschlüssel":**

a. Haben sich viele Frauen für den Kurs interessiert?
b. Wie lange hatten die Fahrerinnen schon ihren Führerschein?
c. Was wurde in dem Pannenkurs gelehrt?
d. Waren die Teilnehmerinnen mit dem Kurs zufrieden?

2. **Diskussionsthemen:**

a. Sollten sich Frauen überhaupt für Technik interessieren?
b. Sind Frauen bessere oder schlechtere Autofahrer?

3. **Setzen Sie bitte eins der folgenden Wörter in die Lücken ein:**

> hätten, können, müßten, würden

a. Pannenkurse für Frauen sind so begehrt, daß viele Berliner Autofahrerinnen auch gerne Geld dafür bezahlen . . . . . **b.** Diese Übersetzung war so schwierig, daß wir ein Wörterbuch . . . . . brauchen . . . . . **c.** Die Teilnehmerinnen sagten, daß ein Kurs nicht genug sei: viel mehr Übung, viel mehr Praxis . . . . . möglich sein. **d.** Es war so dunkel, daß wir noch eine Lampe . . . . . brauchen . . . . . **e.** Die Teilnehmerinnen wollen sich selbst helfen . . . . ., wenn etwas nicht funktioniert.

4. **Bilden Sie bitte Fragen nach folgendem Muster:**

> Die meisten Frauen fahren täglich einkaufen.
> Fahren die meisten Frauen wirklich täglich einkaufen?

a. Man durfte selbst den Wagenheber ansetzen und die Schrauben lösen.
b. Es hatten sich viele Interessentinnen für den Kurs gemeldet.
c. Technik ist nichts für zarte Frauenhände.
d. Der AvD veranstaltete diesen Pannenkurs kostenlos.
e. Sie lernten etwas über das richtige Abschleppen eines Autos.

20

5. **Wandeln Sie bitte die Sätze nach folgendem Muster um:**

Die Pannenkurse sind immer gut besucht.
Im Artikel stand, daß die Pannenkurse immer gut besucht seien.

---

a. Die meisten Frauen können jetzt ein Rad auswechseln.
b. Zuerst wird eine Stunde Theorie gemacht.
c. Es muß noch viel mehr Praxis, viel mehr Übung geben.
d. Technik ist nichts für zarte Frauenhände.
e. Jeder kann an den Berliner Pannenkursen teilnehmen.

Erläuterungen zum Text:

das nimmt niemand mehr zur Kenntnis: darauf achtet niemand mehr
Wagenheber: Gerät zum Heben eines Autos (z. B. bei einer Reifenpanne)
Schraubenschlüssel: Werkzeug zum Lösen oder Anziehen (= Festmachen)
   von Schrauben und Muttern
sie waren gelehrige Schülerinnen: sie lernten schnell und leicht
Panne: Störung oder Schaden (z. B. am Auto)
Armaturenbrett: Tafel mit den Instrumenten eines Autos
Lämpchen flackern auf: Lampen leuchten mehrmals auf
lernbegierig: sehr eifrig, sehr darauf bedacht, etwas zu lernen
AvD: Automobilklub von Deutschland
Nur-Hausfrauen: Frauen, die „nur" den Haushalt führen (und keinen
   anderen Beruf ausüben)
Auffrischung der Kenntnisse: Wiederholung des früher Gelernten
Absicherung der Gefahrenstelle: Aufstellen von Warnschildern oder Blink-
   lichtern an der Unfallstelle
Reifenprofil: die hochstehende Lauffläche eines Reifens
Radkappen: Schutzdeckel über den Radmuttern
Radmuttern: Muttern auf den Schrauben, die das Rad festhalten
Kreuzschlüssel: Spezialschlüssel zum Lösen und Festziehen der Radmuttern
Scheibenwischblätter: Gummistreifen am Scheibenwischer
Ratschläge beisteuern: Ratschläge geben
aus ihrer Trickkiste: aus ihrer reichen Erfahrung

UNABHÄNGIG·ÜBERPARTEILICH

Hagen:
Eifersüchtiger erschoß sich – aber Blutbad verhindert

fjr. **Hagen, 30. Juli**
Drei Stunden lang belagerten Polizeischarfschützen und Feuerwehr ei-
nen Achtfamilien-Neubau in Hagen-Haspe. In einer Wohnung im dritten Stock hatte sich der Klempner Her-

Gestern — Heute

Hans Joachim Stenzel

22

bert Heilmann (24) verbarrikadiert. Er drohte, seine Verlobte und deren zwei kleine Kinder zu erschießen.

Durch die geschlossene Wohnungstür gelang es einer Nachbarsfrau und einem Pfarrer, dem Mann das drohende Blutbad auszureden. Um 05.45 Uhr schoß sich Heilmann selbst eine Kugel in den Kopf. Er starb, die Frau und die Kinder blieben unverletzt.

Begonnen hatte das Drama auf einer Einweihungsparty bei Nachbarn im Erdgeschoß. Um 1 Uhr nachts ging der Installateur nach oben, um Bier zu holen. Seine Verlobte Ingrid Gellert (24) begleitete ihn, um nach ihren Kindern Andreas (6) und Karsten (7) zu sehen. Minuten später hörten die Nachbarn Lärm aus der Wohnung. Als niemand öffnete, alarmierten sie die Polizei. Heilmann schoß daraufhin einmal mit seinem Kleinkaliber-Gewehr durch die geschlossene Tür.

Bevor er sich tötete, schrieb er einen Abschiedsbrief an seine Mutter, die mit einer Polizeistaffette aus Holzminden geholt wurde. Darin nennt er Eifersucht als Motiv.

Erscheinungsweise: werktags morgens
Auflage: 4 487 000
Verlag: Axel Springer AG, Kaiser-Wilhelm-Straße 6, D–2000 Hamburg 36
Gründungsjahr: 1952
Allgemeine politische Richtung: konservativ

Keine bundesdeutsche Zeitung hat so viele Kontroversen hervorgerufen wie *Bild*: immer wieder hat man die Macht angegriffen, die ein Boulevardblatt mit Millionenauflage einem politisch engagierten Verleger wie Axel Springer gibt.

„*Bild* ist für mich wie ein guter Cocktail: modern, mutig und – erfrischend gemixt!" – „. . . die Zeitung der großen Vereinfachung, aber die Fähigkeit ihrer Redakteure, in dieser Vereinfachung das Wesentliche zu sagen, scheint mir hoch entwickelt zu sein" – das sind nur zwei der positiven Urteile über die größte Zeitung der Bundesrepublik.

Ob man sie haßt oder liebt, das *Bild*-Erfolgsrezept – Vereinfachung, viele Bilder und Zeichnungen, große Schlagzeilen, Sex, Verbrechen und Sport – läßt kaum einen Bürger unberührt. Manche beklagen die primitive Art der Berichterstattung und den Mangel an tiefergehenden Informationen, andere sehen es vielleicht wie Konrad Adenauer, Bundeskanzler von 1949 bis 1963, der sagte: „Wenn ich morgens die Zeitung lese, dann greife ich zuerst zur *Frankfurter Allgemeinen*. Ich sehe auf die erste Seite und blättere die zweite Seite auf. Und sehe noch einmal auf die letzte Seite. Dann greife ich zu der Zeitung, die für schlichte Gemüter, wie ich eines bin, da ist: Dann – lese ich die *Bild-Zeitung*. Da ist für mich alles viel klarer gesagt."

1. **Diskussionsthemen:**

a. Sind die Klagen über Umweltverschmutzung „Spinnerei"?
b. Wer ist Schuld an der Umweltverschmutzung?
c. Was sind Ihrer Meinung nach die Folgen der Umweltverschmutzung?
d. Ist Umweltverschmutzung unvermeidbar, wenn die Industrie funktionieren soll?
e. Wie sieht es in Ihrem Land mit der Umweltverschmutzung aus?
f. Was kann jeder einzelne tun, um die Umwelt zu schützen und gesund zu erhalten?

2. **Verbinden Sie bitte einen Satzteil der ersten Gruppe mit einem der zweiten:**

1. Als niemand dieTür öffnete,
2. Als die Wissenschaftler uns vor Jahren vor der Umweltverschmutzung warnten,
3. Als der „Stumme Frühling" vor 11 Jahren veröffentlicht wurde,
4. Als die Polizei ankam,
5. Als der Polizeibeamte den Abschiedsbrief fand,

a. wurden sie von vielen ausgelacht.
b. war die Umweltverschmutzung noch nicht so weit fortgeschritten.
c. sah sie, daß er sich erschossen hatte.
d. holten sie die Polizei.
e. stellte er fest, daß Eifersucht das Motiv gewesen war.

3. **Wandeln Sie bitte die Sätze nach folgendem Muster um:**

> Er hatte nicht erwartet, daß es in Spanien so warm sein würde.
> Es war in Spanien viel wärmer, als er erwartet hatte.

a. Sie hatte nicht geglaubt, daß er so eifersüchtig war.
b. Ich konnte mir damals nicht vorstellen, daß er so dumm war.
c. Wir hatten nicht geahnt, daß die Umweltverschmutzung so schlimm war.
d. Er hatte nicht gedacht, daß sie so gut Auto fahren würde.

24

Erläuterungen zum Text „Die Natur bleibt stumm":

Waldwiese: offene, grasbewachsene Fläche im Wald
Grille: Insekt (Heuschreckenart)
Zukunftsvision: Bild oder (Phantasie-)Vorstellung der Zukunft
Spinnerei (*Umgangssprache*): Unsinn; verrückte Idee
Storch (*Plural* Störche): großer Vogel mit langen Beinen und langem Schnabel, der Nester auf Türmen, Dächern usw. baut
Umweltverschmutzung: Verunreinigung der Gewässer, Luft usw. durch Staub, Chemikalien, Abfälle usw.
Insektenvertilgungsmittel: Gift zum Töten von schädlichen Insekten
Lebensraum: Gebiet, das eine Gruppe von Menschen oder Tieren zum Leben braucht
unvermeidbar: nicht zu verhindern, nicht zu vermeiden
jeder sollte das Seine tun: jeder sollte tun, was er kann

Erläuterungen zum Text „Hagen: Eifersüchtiger erschoß sich – aber Blutbad verhindert":

Hagen: Stadt im Ruhrgebiet, etwa 195 000 Einwohner
Blutbad: besonders blutige Mordtat
er ist eifersüchtig: er will eine andere Person ganz für sich haben (sie darf sich nicht zu sehr mit anderen Menschen beschäftigen)
belagern: einen Ort umschlossen halten (z. B. mit Polizeitruppen)
Polizeischarfschützen: besonders gut ausgebildete Schützen der Polizei
Klempner: = Installateur
verbarrikadieren: eine Barrikade errichten
Einweihungsparty: Party oder Feier zur Eröffnung eines Geschäfts oder beim Einziehen in eine neue Wohnung oder ein neues Haus
Installateur: Handwerker, der die Rohre für Gas und Wasser einbaut und repariert
Kleinkalibergewehr: Gewehr mit kleinem Kaliber (= kleiner Patrone), gewöhnlich 5,6 mm (.22)
Polizeistaffette: Gruppe von motorisierten Polizisten
Holzminden: Stadt an der Weser, etwa 25 000 Einwohner

DER TAGESSPIEGEL

UNABHÄNGIGE BERLINER MORGENZEITUNG

Erziehung, falsch verstanden

Oder: Wieviel Freiheit kann ein Kind verkraften?

Bettina, aufgewachsen in einem strengen Elternhaus, erzieht ihren kleinen Sohn Thomas in genau dem anderen Extrem. Laissez-faire heißt ihre Devise. Ihr Kind soll es besser haben als sie es selbst hatte, seine Fröhlichkeit soll in keiner Weise eingeschränkt werden. In der Praxis sieht das dann so aus: Im Auto will Thomas, gerade stolze 14 Monate alt und noch etwas wacklig auf den Beinen, freihändig auf dem Rücksitz stehen. Bemühungen, den Jungen festzuhalten, wehrt die junge Mutter energisch mit dem Hinweis ab, daß das Kind alleine stehen wolle, also nicht daran gehindert werden dürfe, weil es sonst ein Gefühl der Einengung haben könnte. Resultat: Beulen, Beulen, Beulen.

Tage später spielte Thomas mit Zigaretten. Obwohl es sich mittlerweile herumgesprochen haben sollte, daß eine Zigarette allein — im Rohzustand verspeist — sogar für Erwachsene eine tödliche Wirkung haben kann. Es kam, wie es vorauszusehen war: Thomas verschlang eine halbe Zigarette und mußte mit Blaulicht ins nächste Krankenhaus transportiert werden, wo man ihm den Magen auspumpte. Später mußte der Junge zur Beobachtung auf der Wachstation bleiben. Was für Ängste kleine Kinder in solchen Fällen durchleben, kann sich ein Erwachsener wohl kaum vorstellen. Lernen wird ein kleines Kind bestimmt nicht daraus. Es erleidet vielmehr einen Schock. Bei Thomas war das ganz deut-

lich zu merken: Die Mutter, die ihn sonst immer in einem weißen Kittel badete und windelte, durfte ihm in dieser „Verkleidung" nicht mehr nahe kommen. Er lief krebsrot an und wurde ganz steif vor Angst.

Wenn man Kinderärzte befragt, so erfährt man, daß dieser Fall keineswegs eine Ausnahme ist. Viele junge Eltern billigen ihren Kleinstkindern eine Frei-heit zu, die sie völlig falsch verstehen. „Das Recht des Kindes auf eine eigene Lebenserfahrung", von dem da die Rede ist, kann frühestens erst dann einsetzen, wenn das Kind in der Lage ist, seine Erfahrungen zu verwerten, wenn es bestimmte Zusammenhänge und Verbindungen zu begreifen lernt.

E. H. Zobel

Erscheinungsweise: dienstags bis sonntags morgens
Auflage: 133 000
Verlag: Der Tagesspiegel GmbH, Potsdamer Straße 87, D–1 Berlin 30
Gründungsjahr: 1945
Allgemeine politische Richtung: liberal

Als der *Tagesspiegel* am 27. September 1945 ins Leben gerufen wurde, hatte die amerikanische Militärregierung erst am Vorabend unter Lizenznummer 16 die endgültige Genehmigung zur Herausgabe einer deutschen Zeitung im amerikanischen Sektor von Berlin erteilt. Man begann sofort mit dem Druck der ersten Ausgabe.

Die Herausgeber wollten eine unabhängige deutsche Zeitung in Berlin erscheinen lassen, die „kein Organ der amerikanischen Besatzungsmacht" sein sollte. In einem Artikel sagte der Herausgeber damals, der *Tagesspiegel* erscheine zwar aufgrund alliierter Militärgesetze in Deutschland, nach denen er sich zu richten habe, er sei jedoch ausschließlich in deutscher Hand und unterliege keiner fremden Einflußnahme.

Von Anfang an bemühte sich der *Tagesspiegel* um die Auseinandersetzung mit der vergangenen nationalsozialistischen Herrschaft und den Aufbau eines liberalen, demokratischen Staates. So legte die Redaktion besonderen Wert auf die Beteiligung des Lesers, um ihn wieder an Rede- und Meinungsfreiheit zu gewöhnen: Leserbriefe wurden besonders hervorgehoben und erschienen unter der Rubrik „Demokratisches Forum", die auch heute noch besteht. – *Der Tagesspiegel* stellt eines der bekanntesten liberalen Blätter dar und ist seiner Tradition über die Jahre hinweg treu geblieben.

1. Fragen zum Text „Erziehung, falsch verstanden":

a. Wie erzieht Bettina ihren kleinen Sohn?
b. Wie reagiert sie, wenn Thomas im Auto freihändig auf dem Rücksitz stehen will?
c. Was passierte, als Thomas mit Zigaretten spielte?
d. Wie wirkte sich sein Schock aus?
e. Was sagen die Kinderärzte zu diesem Fall?
f. Wann kann man bei einem Kind von „Lebenserfahrung" sprechen?

2. Diskussionsthemen:

a. Heißt Ihre Devise auch Laissez-faire oder sollten die Eltern ihre Kinder autoritär erziehen?
b. Ist zuviel Freiheit schädlich für Kinder?
c. Ist Kindererziehung Sache der Eltern oder sollten auch Psychologen und Kinderärzte Einfluß haben?
d. Sind Kindergärten wichtig für die Entwicklung eines Kindes?
e. Sollten Kinder schon ganz früh Fremdsprachen lernen?

3. Setzen Sie bitte die richtige Form eines der folgenden Wörter in die Lücken ein:

erfahren, feststellen, verstehen, vorstellen

a. Kleine Kinder können sich natürlich noch nicht . . . . ., daß eine Zigarette sehr schädlich sein kann, wenn man sie ißt. **b.** Als das Kind im Krankenhaus eintraf, ... die Ärzte eine schwere Vergiftung . . . . . **c.** Da kleine Kinder noch sehr undeutlich sprechen, ist es schwierig, sie zu . . . . . **d.** Als man den Kinderarzt befragte, ... man von ihm, daß solche Fälle leider recht häufig vorkommen. **e.** Obwohl man der Mutter erklärte, was sie falsch gemacht hatte, ... sie es nicht. **f.** Wenn man etwas über Kindererziehung wissen möchte, kann man es von einem Psychologen . . . . . **g.** Bei einer Untersuchung . . . . . man . . . . ., daß viele Eltern keine Ahnung von Kindererziehung haben.

28

4. Setzen Sie bitte eines der folgenden Wörter in die Lücken ein:

ab, an, auf, im, in, ins, mit, zu

a. Sie wurde 1943 ..... Berlin geboren und wuchs ..... einem strengen Elternhaus ..... **b.** ..... 18 Jahren schloß er seine kaufmännische Lehre ..... und nahm eine Stellung ..... einem großen Kaufhaus ..... **c.** Da die Vergiftung doch ernster war, als man angenommen hatte, wurde er sofort ..... nächste Krankenhaus gebracht. **d.** Viele Eltern billigen ihren Kindern mehr Freiheit ....., als sie verkraften können. **e.** Schon ..... Kindergarten haben viele Kinder die Möglichkeit, eine Fremdsprache ..... lernen. **f.** Elektrische Geräte müssen so aufbewahrt werden, daß Kinder nicht ..... ihnen spielen können.

Erläuterungen zum Text:

wieviel Freiheit kann ein Kind verkraften?: mit wieviel Freiheit kann ein Kind fertig werden?
Laissez-faire: unbeeinflußtes Laufenlassen einer Sache
Devise: Motto, Wahlspruch
eingeschränkt: begrenzt
er stand wacklig auf den Beinen: er stand nicht fest (= nicht sicher)
freihändig: ohne sich mit der Hand festzuhalten
Einengung: Beschränkung, Begrenzung
Beulen: durch Stoß oder Schlag verursachte Schwellungen
mittlerweile: in der Zwischenzeit
im Rohzustand verspeist: so gegessen, wie sie sind
Blaulicht: blaues Licht an den Wagen der Polizei und der Feuerwehr, das bei Unglücksfällen eingeschaltet wird und im Straßenverkehr zur Vorfahrt berechtigt
Wachstation: Intensivstation im Krankenhaus (für schwere Fälle)
sie windelte ihn: sie wickelte ihn (Windel = weiches Tuch aus Stoff oder Papier, mit dem ein Säugling gewickelt wird)
er lief krebsrot an: er wurde ganz rot (wie ein Krebs)
er wurde ganz steif vor Angst: er konnte sich nicht bewegen vor Angst
Freiheit zubilligen: Freiheit gewähren oder lassen

WELT DER WIRTSCHAFT

Autokauf mit Preisbremse

gil. — Seit Beginn des Jahres gibt es keine Preisbindung mehr für Automobile. Erlaubt ist lediglich eine Preisempfehlung durch den Autohersteller, an die sich der Handel halten kann — oder auch nicht. Sie ist ausdrücklich als unverbindlich gekennzeichnet. Preissenkungen sind also hie und da möglich.

Der Zentralverband des Kraftfahrzeughandels hat an diese neue Gesetzeslage eine recht eigenwillige Interpretation angeknüpft: Händler, die sich nicht an die Preisempfehlung hielten, mißachteten ihre eigene Kalkulation; im übrigen müßten sie sich an die ausgezeichneten Preise halten (Preisauszeichnungsverordnung) und dürften allenfalls einen Rabatt von drei Prozent (Rabattgesetz) geben. Wer zum Feilschen auffordere, fordere zum Gesetzesbruch auf.

Hier argumentieren die Autohändler mit falschem Zungenschlag. Den Verbrauchern suggerieren zu wollen, alle Händler hätten die gleiche Kalkulation und seien im übrigen durch Gesetz in ein strenges Preiskorsett gepreßt, ist zumindest mißverständlich. Die Aufforderung einer Bundesministerin, jetzt könne jedermann in jedem Geschäft um den Preis feilschen, war zwar unbedacht bis fahrlässig, aber die Lage ist auch anders, als der Autohändler sie darzustellen beliebt. Nicht alle Autos sind tatsächlich im Schaufenster ausgezeichnet. Der Händler kann die Preisauszeichnung außerdem jeden Tag nach Belieben und Marktlage ändern und überdies auf alle Preise bis zu drei Prozent Rabatt einräumen. Versucht der Hersteller durch Druck oder „Überredung" dem Handel die Einhaltung der empfohlenen Preise „nahezulegen", verstößt er gegen das Kartellgesetz.

Der Verbraucher sollte wissen, daß in konjunkturell unsicheren Zeiten seine Chancen auf einen günstigen Preis steigen. Gerade jetzt wird offenkundig, daß nicht die Kosten die Preise machen, sondern der Markt. Wer auf einem großen Lager sitzt, findet Methoden — auch gesetzliche —, günstiger als sein Wettbewerber anzubieten, sei es durch kulanteren Service oder Inzahlungnahme eines Gebrauchtwagens zu höherem Preis. Die Praxis zeigt, daß Preisnachlässe von sieben oder acht Prozent je nach Wagentyp keine Seltenheit sind. Also Autokauf wie im orientalischen Teppichbasar? Keineswegs. Wohl aber intensiver Preisvergleich zwischen den einzelnen Händlern. Das kann sich lohnen.

Erscheinungsweise: werktags morgens
Auflage: 242 000
Verlag: Axel Springer AG, Kaiser-Wilhelm-Straße 6, D–2 Hamburg
Redaktion: Kölner Str. 91, D–5300 Bonn-Bad Godesberg
Gründungsjahr: 1946
Allgemeine politische Richtung: konservativ

Die Welt bietet ein Beispiel für die Veränderungen der politischen Haltung, die eine Zeitung im Laufe der Jahre durchmachen kann: bis etwa 1960 – unter ihrem Chefredakteur Hans Zehrer – war die Zeitung liberal eingestellt. Nach der Übernahme durch den Springer-Konzern wurde sie immer mehr zu einer konservativen Publikation und viele Journalisten, die mit dem neuen Kurs nicht einverstanden waren, verließen die Redaktion. Als die erste Ausgabe 1946 erschien – geplant und organisiert von der britischen Besatzungsmacht –, schrieb der damalige Chefredakteur: „Hier auf dem Boden der *Welt* öffnen sich die Tore zur Welt, zur weiten Welt des Auslandes, jener Welt, die zwölf Jahre lang den Deutschen nur in entstellender Wiedergabe geboten wurde. Mit der *Welt* soll die Brücke geschlagen werden zu anderen Völkern, anderen Lebensweisen, anderen Gedankengängen. Sie soll dazu beitragen, neue Wege anzubahnen, die dem deutschen Volk im Laufe der Zeit zum Wohle gereichen werden."
Ein großer Teil der täglichen Informationen kommt von den etwa 70 Korrespondenten der Zeitung. Insgesamt arbeiten etwa 230 Journalisten für die *Welt,* auf den Hauptgebieten Politik, Wirtschaft und Kultur. Dazu kommen noch rund 900 freie Mitarbeiter verschiedener Fachrichtungen.
Die Gestaltung des Blattes ist – im Gegensatz zur *Frankfurter Allgemeinen Zeitung* – betont modern: klare Gliederung, deutliche Schlagzeilen, gut lesbare Schrift. Dieses Konzept wurde übrigens auch bei der Neugestaltung der britischen *Times* im Jahre 1968 übernommen.

1. Fragen zum Text „Autokauf mit Preisbremse":

a. Welche Änderung hat sich Anfang des Jahres ergeben?
b. Muß sich der Händler an die Preisempfehlung halten oder nicht?
c. Dürfen Rabatte gegeben werden?
d. Sind die Autopreise jetzt bei allen Händlern gleich?
e. Was sollte der Kunde tun, bevor er ein Auto kauft?

2. Diskussionsthemen:

a. Sind Sie für feste Preise oder sollte man handeln können?
b. Warum können große Kaufhäuser oft billiger verkaufen als kleine Läden?

3. Lesen Sie bitte den folgenden Text . . .

Bis vor kurzem waren Preisbindungen für Markenartikel durchaus <u>üblich</u>. Das hieß, daß das Geschäft den vom Hersteller vorgeschriebenen Preis zu <u>berechnen</u> hatte.
Viele große Kaufhäuser und Supermärkte <u>versuchten</u>, diese Preisbindung zu <u>umgehen</u>. Oft wurden sie dann nicht mehr <u>beliefert</u>.
Nun gibt es keine Preisbindungen mehr, sondern nur noch <u>empfohlene</u> Preise. Aber auch jetzt ist noch nicht alles in Ordnung: manche Hersteller <u>bestehen darauf</u>, daß diese empfohlenen Preise auch tatsächlich <u>eingehalten</u> werden. Geschäfte, die das nicht tun, werden in einigen Fällen nicht <u>beliefert</u>, das heißt der Hersteller <u>weigert</u> sich, ihnen Ware zu verkaufen.

. . . und setzen Sie die richtige Form eines der unterstrichenen Wörter in die Lücken ein:

a. Große Kaufhäuser, Supermärkte und Lebensmittelkonzerne . . . . . oft, ihre Waren billiger zu verkaufen, um ihren Umsatz zu erhöhen **b.** In vielen Geschäften ist es heute . . . . ., die . . . . . Preise zu berechnen. **c.** Wenn man darauf . . . . ., erhält man bei vielen Händlern einen beachtlichen Rabatt. **d.** Manche Konzerne haben sich . . . . ., Geschäfte zu . . . . ., die die . . . . . Preise nicht . . . . .

32

4.   **Wählen Sie bitte die richtige Form der eingeklammerten Wörter:**

a. In (viel) Ländern (geben) es überhaupt keine Preisbindung: jeder Händler (kalkulieren) seine Preise selbst. **b.** Einige Autohändler bieten ziemlich (hoch) Rabatte an. **c.** Es lohnt sich oft, die Preise in (verschieden) Geschäften zu vergleichen, bevor man etwas kauft.

Erläuterungen zum Text:

Preisbindung: = die Verkaufspreise werden von den Herstellern festgelegt
Preisempfehlung: = die Verkaufspreise werden von den Herstellern empfohlen
unverbindlich: nicht bindend, nicht verpflichtend
hie und da: an manchen Stellen, hin und wieder
diese neue Gesetzeslage: diese neuen Vorschriften (Gesetze)
mißachten: nicht beachten
Preisauszeichnungsverordnung: Gesetze, die festlegen, daß Waren im Schaufenster mit Preisen versehen werden müssen
feilschen (*Umgangssprache*): handeln (z. B. um einen niedrigeren Preis)
Gesetzesbruch: Nichtbeachtung oder Nichteinhaltung eines Gesetzes
mit falschem Zungenschlag: unehrlich, mit Hintergedanken
suggerieren: (jemandem) etwas einreden; falsche Vorstellungen erwecken
in ein Preiskorsett gepreßt: gezwungen, bestimmte Preise einzuhalten
mißverständlich: nicht klar und eindeutig
fahrlässig: ohne die nötige Vorsicht, leichtsinnig
Waren auszeichnen: Artikel mit Preisschildern versehen
nach Belieben: nach eigenem Wunsch und Geschmack
Rabatt einräumen: Rabatt oder Preisnachlaß gewähren oder geben
nahelegen: dringend empfehlen
Kartellgesetz: Gesetz, das die Bildung von Großkonzernen (Trusts) regelt und zum Beispiel Preisabsprachen verbietet
konjunkturell unsichere Zeiten: Zeiten, in denen man nicht weiß, wie sich die Wirtschaft eines Landes entwickeln wird
kulant: anständig, großzügig, entgegenkommend
Inzahlungnahme eines Autos: Verkauf des alten Wagens an den Händler, bei dem man auch den neuen kauft
Preisnachlässe (*Singular:* -nachlaß): Rabatte

Gastarbeiter-Millionen auch in Amerika
Diffamierung überall / Viele gehen heimlich über die Grenze

GENF, 20. Juli (dpa). Trotz des schmückenden Beiwortes „Gast"-Arbeiter werden ausländische Arbeitskräfte in den meisten der Industriestaaten nicht als Gäste behandelt; denn selten erhalten sie, wie das Internationale Arbeitsamt in Genf in einer jetzt veröffentlichten Studie feststellt, die gleiche Entlohnung und gleiche soziale Leistungen wie die Einheimischen.

Aus Unkenntnis und Angst wagen sie es oft nicht, die ihnen zustehenden Rechte wahrzunehmen, weil sie das „gelobte Land", in dem sie nach häufig jahrelanger Erwerbslosigkeit endlich Arbeit und Lohn gefunden haben, nicht wieder verlassen wollen.

In Westeuropa gibt es ungefähr elf Millionen Gastarbeiter und Angehörige, darunter Spanier, Italiener, Jugoslawen, Portugiesen, Türken, Griechen, Tunesier, Algerier, Marokkaner. Von den Vereinigten Staaten sind allein im Jahre 1969 rund 4,2 Millionen Ausländer aufgenommen worden. In Kanada waren es während desselben Jahres 161 000.

Der Zuzug ausländischer Arbeiter ist aber nicht nur eine Erscheinung von Überbeschäftigung oder Expansion in Industrieländern des Westens. Die gleiche Erscheinung einer Massenbewegung von Arbeitskräften gibt es zum Beispiel in Lateinamerika: Mehr als eine Million Menschen sind dort aus den bäuerlichen Gebieten Paraguays und Boliviens nach Argentinien gezogen. Venezuela hat viele Kolumbianer aufgenommen, man schätzt, es sind 300 000 bis 700 000.

In Afrika strömen nach der Elfenbeinküste und nach Ghana aus den umliegenden Staaten — vor allem aus Obervolta — ständig arbeitssuchende Menschen, deren Zahl jährlich zwischen 900 000 und 1,5 Millionen differiert. In Rhodesien und in Südafrika arbeiten 300 000 nicht aus diesen Staaten stammende Afrikaner.

Nur der kleinere Teil dieser Arbeitssuchenden reist organisiert ein; viele gehen heimlich über die Grenze. Und für diesen Grenzübertritt gibt es einen Menschenhandel. Die illegale Einreise in die USA kostet einen Mexikaner durchschnittlich 300 Dollar. Ein Mauretanier muß für die nicht genehmigte Beförderung nach Frankreich bis zu 5000 französische Franc zahlen.

Aber nicht nur die „Illegalen", auch die anderen fremden Arbeiter treffen auf Diskriminierung aller Art. Meistens finden sie nur schlechtbezahlte oder schmutzige Arbeit, die Einheimische nicht tun wollen. Fremdenfeindlichkeit, Rechtsungleichheit, die Schwierigkeit, eine Unterkunft zu finden, und die noch größere Schwierigkeit, Frau und Kinder nachkommen zu lassen, sind ihr Los.

Erscheinungsweise: werktags morgens
Auflage: 370 000
Verlag: Frankfurter Allgemeine Zeitung GmbH, Hellerhof-Straße 2–4, D–6000 Frankfurt 1
Gründungsjahr: 1949
Allgemeine politische Richtung: liberal bis konservativ

Die *Frankfurter Allgemeine Zeitung* (FAZ) wird von vielen als die beste Zeitung der Bundesrepublik betrachtet. Ganz sicher gehört sie zu den großen Zeitungen der Welt.

Was sie auszeichnet, sind die Genauigkeit und Vollständigkeit der Berichterstattung und die ausgewogenen, intelligent geschriebenen Leitartikel – Qualitäten, die auch von politisch Andersdenkenden anerkannt werden.

Wenn man sie rein äußerlich mit der *Welt* oder der *Süddeutschen Zeitung* vergleicht, fällt sofort die etwas altmodische Gestaltung auf: wenig hervortretende Schlagzeilen, traditionelle Schriften, wenig illustriert. Der Zielkreis ist klar umrissen: die Zeitung ist, wie es in einer Broschüre heißt, für eine „gebildete Leserschaft" gemacht, die „eine Spur von Tradition . . . in unserer schnellebigen Zeit nicht missen möchte".

Auf dem Gebiet der Wirtschaft – mit Reportagen, Leitartikeln, Analysen und einem umfangreichen Anzeigenteil – ist sie anerkanntermaßen führend unter den bundesdeutschen Tageszeitungen.

1. Fragen zum Artikel „Gastarbeiter-Millionen auch in Amerika":

a. Wie werden ausländische Arbeitnehmer in den Industriestaaten gewöhnlich behandelt?
b. Wo gibt es – außer in Westeuropa – Gastarbeiter?
c. Was erfahren Sie aus dem Artikel über illegal eingewanderte Gastarbeiter?
d. Welche Art von Arbeit wird den ausländischen Arbeitern gewöhnlich gegeben?

2. Diskussionsthemen:

a. Was läßt sich tun, um die Situation der ausländischen Arbeitnehmer zu verbessern?
b. Gibt es in Ihrem Land ähnliche Probleme?
c. Wäre es besser, in den Entwicklungsländern zu investieren, anstatt deren Arbeiter anzuwerben?
d. Sollten ausländische Arbeiter im Gastland das Wahlrecht erhalten?

3. Setzen Sie bitte die richtige Form eines der folgenden Wörter in die Lücken ein:

---

aufnehmen, nachkommen, wahrnehmen

---

a. Als sich die Wirtschaftslage verschlechterte, ... viele Ländern keine ausländischen Arbeitskräfte mehr . . . . . .
b. Für Ausländer ist es immer sehr schwierig gewesen, ihre Rechte voll . . . . . .
c. In den letzten Jahren wurden von den Vereinigten Staaten mehrere Millionen Ausländer . . . . . .
d. In der Bundesrepublik Deutschland . . . . . viele Gastarbeiter ihre Rechte aus Unkenntnis der Gesetze nicht . . . . . .
e. Nur wenige Länder können unbeschränkt Gastarbeiter . . . . .
f. Viele Gastarbeiter lassen ihre Familie . . . . ., wenn sie einige Jahre in dem fremden Land gearbeitet haben.

36

4. Verbinden Sie bitte einen Satzteil der ersten Gruppe mit einem der zweiten:

1. Trotz des milden Winters
2. Da viele Gastarbeiter ihre Rechte nicht kennen,
3. Viele Arbeiter reisen nach Ghana,
4. Viele Industriebetriebe bemühen sich,

a. um dort einen Arbeitsplatz zu finden.
b. war die Zahl der Arbeitslosen höher als erwartet.
c. ihre Gastarbeiter besser zu betreuen.
d. werden sie oft sehr schlecht bezahlt.

Erläuterungen zum Text:

Gastarbeiter: ausländische Arbeitnehmer (= Menschen, die in einem andern Land arbeiten)
Diffamierung: Verleumdung; schlechte, herablassende Behandlung
schmückendes Beiwort: zusätzliche Bezeichnung, die einen Begriff „schöner" machen soll
Entlohnung: Lohn- oder Gehaltszahlung
das gelobte Land *(biblischer Ausdruck)*: das Land, in dem es allen gut geht, nach dem sich alle sehnen
Erwerbslosigkeit: Arbeitslosigkeit
der Zuzug ausländischer Arbeiter: die Einreise von Gastarbeitern
Überbeschäftigung: man spricht von Überbeschäftigung, wenn mehr Arbeitsplätze als Arbeiter vorhanden sind
Expansion: (wirtschaftliches) Wachstum
die Massenbewegung von Arbeitskräften: der Arbeitsplatzwechsel vieler Tausend Arbeiter (über die Grenzen der Länder)
sie strömen nach Ghana: sie reisen in großer Zahl nach Ghana
sie stammen nicht aus Südafrika: Südafrika ist nicht ihre Heimat
Menschenhandel: das illegale Befördern von Menschen über die Grenzen der Länder
Einheimische: die Bewohner des Landes, die dort geboren wurden
Rechtsungleichheit: ungleiche Behandlung bei rechtlichen Ansprüchen

Fran' furter Rundschau

Unabhängige Tageszeitung

„Schießen Sie nicht auf den Tankwart" - überall gereizte Stimmung

Zeitbombe tickt an Tankstelle

Wochenend: Preiserhöhungen

Von unserem Mitarbeiter
Claus Gellersen

„Schießen Sie nicht auf den Tankwart", soll auf dem Schild stehen, das ein Frankfurter Tankstellenbesitzer neben den neuen Preistafeln aufstellen will: Am Wochenende wird er nämlich der Aufforderung seiner Mineralölgesellschaft nachkommen und die neuen Benzinpreise anschlagen. 85,7 Pfennig für das Normalbenzin und 92,7 für Super muß der Spritverkäufer dann seinen Kunden abnehmen.

Noch nie mußten die Kraftfahrer der Bundesrepublik so tief in die Tasche greifen, um ihren fahrbaren Untersatz zum Laufen zu bringen. Des Tankwarts ungewöhnliche Bitte um Schonung scheint nicht unbegründet, „denn schon jetzt lassen die Kraftfahrer ihre Wut an uns aus", klagt der Stationär. Dabei profitiert der Wiederverkäufer nicht

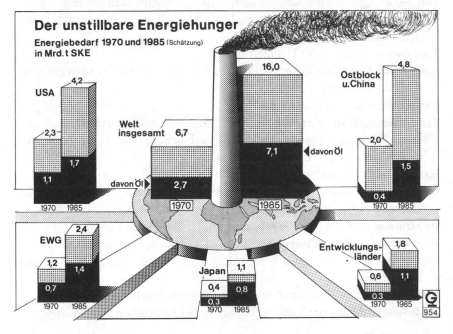

Der unstillbare Energiehunger

Energiebedarf 1970 und 1985 (Schätzung) in Mrd. t SKE

an der neuen Erhöhung der Konzerne, seine Provision bleibt gleich.

„Dann verkauf ich die Kiste eben", murrt ein Kunde, der sich nach den neuen Preisen erkundigt. Ein andrer schimpft kräftig „auf die da oben, die zusehen, wenn die Ölbosse an uns reich werden."

Die Konzerne selbst schieben den Schwarzen Peter, wie schon in der Vergangenheit, den Ölförderländern zu. Die Ankündigung der Bundesregierung, die neue Preisgestaltung unter die Lupe zu nehmen, hat in den Chefetagen der Ölgiganten nicht zu Beunruhigung geführt. „Wir werden aufzeigen, daß die Preiserhöhung gerechtfertigt ist", gab sich ein Sprecher aus der Hamburger Zentrale einer großen Marke zuversichtlich.

Neben den Firmen, die einen großen Fuhrpark unterhalten, ist aber vor allem der viel zitierte kleine Mann auf der Straße der Leidtragende. „Längere Fahrten mit dem Pkw werden mir jetzt zu teuer", rechnet ein Handelsvertreter vor. Für eine Fahrt mit seinem Mittelklassewagen nach Hamburg muß er von nächster Woche an bei einem Spritverbrauch von 12 Liter Normalbenzin 102 Mark aufwenden. Die Bundesbahn verlangt für die 500 Kilometer in die Hansestadt und zurück nach Frankfurt noch 108 Mark. Rechnet man die anderen Betriebskosten und die Wertminderung durch die gefahrenen Kilometer hinzu, bekommt der Slogan „Fahr lieber mit der Bundesbahn" eine neue Dimension.

Auch die sonntägliche Spritztour in den Taunus kann selbst bei mehreren Personen mit den öffentlichen Verkehrsmitteln billiger sein.

Ob jetzt allerdings der Traum der Verkehrsplaner in Erfüllung geht, daß viele Kraftfahrer auf Busse und Bahnen umsteigen, bleibt abzuwarten.

Erscheinungsweise: werktags morgens
Auflage: 200 000
Verlag: Druck- und Verlagshaus Frankfurt am Main GmbH, Große Eschenheimer Straße 16–18, D–6000 Frankfurt
Gründungsjahr: 1945
Allgemeine politische Richtung: sozialdemokratisch

Zum 25jährigen Jubiläum der *Frankfurter Rundschau* schrieb der inzwischen verstorbene Herausgeber und Chefredakteur Karl Gerold: „Diese Zeitung ist strikt nach dem Grundsatz, nach dem sie angetreten ist, eine unabhängige Tageszeitung. Unabhängig von allen und jeglichen Parteien und Interessengruppen. Geistig und finanziell frei von jeder Einflußnahme. Gleichgültig, wer sich auch darum bemüht, uns zu infiltrieren. Wir sind frei, wir müssen frei sein – wie anders sollten wir sonst die Freiheit erkämpfen in Stadt und Land, in Volk und Staat! Und in diesem Sinne sind wir auch, wie weit und breit bekannt, engagiert sozial-liberal."
Heute ist die *Frankfurter Rundschau*, obwohl sie stark regional orientiert ist, weit über die Grenzen ihres Gebiets hinaus bekannt.

1.   Fragen zum Text „Zeitbombe tickt an Tankstelle":

a. Warum will der Tankstellenbesitzer ein Schild mit der Aufschrift „Schießen Sie nicht auf den Tankwart" aufstellen?
b. Was geschah an jenem Wochenende?
c. Wie reagierten einige der Kunden?
d. An wem lassen die Kraftfahrer ihre Wut aus?
e. Was sagen die Ölgesellschaften zu den Preiserhöhungen?
f. Welche Firmen sind besonders von den Erhöhungen betroffen?
g. Was sind die Folgen für den „kleinen Mann"?
h. Wie sieht es mit den Kosten für Sonntagsausflüge aus?
i. Welche Folgen ergeben sich für den öffentlichen Nahverkehr?

2.   Diskussionsthemen:

a. Wer trägt die Schuld an den Preiserhöhungen für Öl und Benzin?
b. Welche Auswirkungen haben die Erhöhungen auf die wirtschaftliche Entwicklung der verschiedenen Länder?
c. Welche Probleme ergeben sich für die Energieversorgung Ihres Landes?

3.   Welche Erklärung paßt zu welchem Wort?

Amtszimmer	a. Gebäude eines Industriebetriebes, in dem bestimmte Produkte hergestellt werden
Büro	b. Niederlassung oder Filiale einer Firma in einer anderen Stadt oder in einem anderen Stadtviertel
Fabrik	c. Raum, in dem eine Behörde oder eine andere öffentliche Dienststelle ihre Arbeit verrichtet
Konzern	d. Raum, in dem Waren verschiedener Art zum Verkauf angeboten werden; Geschäft
Laden	e. Zimmer, in dem die Schreib- und Verwaltungsarbeiten einer Firma durchgeführt werden
Zweigstelle	f. Zusammenschluß zweier oder mehrerer selbständiger Firmen zu einem großen Unternehmen

4. Setzen Sie bitte die richtige Form eines der folgenden Wörter in die Lücken ein:

> gewinnen, profitieren, verdienen

a. Obwohl er zuerst den Sinn der langen Ausbildung nicht einsah, ... er später davon. **b.** Letzte Woche spielte er zum ersten Mal im Lotto und . . . . . sofort den Hauptpreis. **c.** Sie haben so viel Glück! Haben Sie das eigentlich . . . . .? **d.** Sie finden in unserer Firma nicht nur eine interessante Tätigkeit, sondern können auch viel . . . . .

Erläuterungen zum Text:

sie sind in gereizter Stimmung: sie sind schlecht gelaunt oder verärgert
Zeitbombe *(im übertragenen Sinne)*: etwas, das jeden Moment explodieren oder ausbrechen kann
neue Benzinpreise anschlagen: die neuen Preise für Benzin an den Tankstellen aufstellen (auf Plakaten, Schildern usw.)
fahrbarer Untersatz *(scherzhaft)*: Auto
Stationär: *normalerweise* = Tankstellenbesitzer oder -pächter
er schiebt ihm den Schwarzen Peter zu: er gibt ihm die Schuld
Ölförderländer: Länder, in denen Öl gefördert wird
Preisgestaltung: Berechnung der Preise
in den Chefetagen: in den Zimmern, in denen die Manager sitzen
einen großen Fuhrpark unterhalten: viele Fahrzeuge besitzen
er ist der Leidtragende: er hat den Ärger oder die Schwierigkeiten
Sprit *(Umgangssprache)*: Benzin
die Betriebskosten des Autos: alle Kosten, die der Besitzer für das Auto zahlen muß (z. B. Benzin, Steuer, Öl, Versicherung usw.)
Wertminderung: Verlust an Wert (z. B. wenn das Auto älter wird)
es bekommt eine neue Dimension: es erhält einen neuen Sinn oder eine neue Bedeutung
Spritztour: kleiner Ausflug
Taunus: Gebirge in der Nähe von Frankfurt
Verkehrsplaner: Fachleute für die Planung des Straßenverkehrs und der öffentlichen Verkehrsmittel

HAMBURGER

Morgenpost

1,- dkr. * 0,80 ffrs. * 5,- Dr. * 100,- Lit. * 2,50 ö.S. * 10,- Ptas. * -,40 sfrs.

Viele
HVV-Kunden
sind sauer:

„Wir werden zu Schwarzfahrern erzogen"

Stups

„Haben deine Eltern nicht geschimpft, als du erst um 4 Uhr morgens nach Hause kamst, Stups?"
„Ich hab' Glück gehabt. Mama kam erst um fünf."
„Und dein Vater?"
„Der war froh, daß Mama noch nicht zu Hause war, als er heimkam . . . "

Von Rolf Töpperwien und Carl-Heinz Ahrend

Hamburg — Viele Fahrgäste der Hamburger U- und S-Bahnen fühlen sich zum Schwarzfahren erzogen. Grund: Seit Anfang März tauscht der Hamburger Verkehrsverbund (HVV) lebende Fahrkartenverkäufer in stumme Apparate um. 38 von 137 Bahnhöfen sind bis heute nur noch mit Fahrkartenautomaten ausgestattet und 78 Stationen werden lediglich noch zeitweise mit Fahrkartenverkäufern besetzt.

Doch die stummen Verkäufer bereiten Ärger! Viele Fahrgäste fühlen sich durch sie übertölpelt. Denn: Oft fehlt es an Kleingeld. Dann müssen sie entscheiden zwischen Schwarzfahren oder Bahn fahren lassen.

Bis zum nächsten Jahr wird dieser Ärger noch weitergehen. Erst dann gibt es Fahrkartenautomaten, die auch Fünf-Mark-Stücke schlucken. Und ab Herbst soll auch der Einwurf von Zwei-Mark-Stücken in die Fahrkarten-Apparate möglich sein. Heute ist das noch anders: Lediglich Groschen, Fünfziger und Markstücke werden angenommen. Und diese Münzen hat nicht jeder eilige Nah-

verkehrsteilnehmer. Das bringt Ärger.

In vielen Briefen beschwerten sich die MORGENPOST-Leser:

„Wir werden zum Schwarzfahren und somit zur Zahlung von 20-Mark-Bußgeldern getrieben", schreiben 63 Farmsener in einem Protestbrief. Und weiter ist zu lesen:

„Wir wissen gar nicht, wie, wann und mit welchem Verkehrsmittel wir unser Ziel erreichen. Stumme Kartenverkäufer können wir nicht fragen."

„Oftmals sind die Automaten leer, jedenfalls funktionieren sie nicht. Was soll man dann machen? Etwa warten?"

„Wir brauchen 500 Mann"

Dazu erklärt Hans Leopold, Leiter der Hauptabteilung „Tarife und Einnahmenwirtschaft" beim Hamburger Verkehrsverbund (HVV):

„Wir haben den Kartenverkauf durch Automaten einführen müssen, weil es uns an Personal fehlt. Wir brauchten 500 Mann. Selbst wenn wir dafür 15 Millionen Mark Gebühren aufbringen könnten (was nicht der Fall ist), bekämen wir diese fehlenden Arbeitskräfte einfach nicht. Auf der anderen Seite können wir es uns nicht leisten, 250 von 1200 Bussen stillzulegen, um die Fahrer für den Schalterdienst abzuziehen."

„Warum stellen sie keine Wechselautomaten auf?"

Leopold: „Das haben wir zuerst getan. Sie nützten nichts, weil die Nachbarschaft die Wechsler ausräumte, bevor die Fahrgäste sie in Anspruch nehmen konnten. Deswegen haben wir schon sehr früh Apparate aufgestellt, die beim Lösen einer Fahrkarte Wechselgeld herausgeben."

Erscheinungsweise: werktags morgens
Auflage: 300 000
Verlag: Allgemeine Druck- und Presseverlagsgesellschaft mbH, Pressehaus, D–2000 Hamburg 1
Gründungsjahr: 1949
Allgemeine politische Richtung: sozialdemokratisch

Die *Hamburger Morgenpost* wurde als Boulevardzeitung gegründet und hat diesen Charakter – trotz vieler Erweiterungen des Inhalts im Laufe der Jahre – nicht abgelegt.

Der Inhalt zeigt deutlich, daß man sich auf Themen konzentriert, die den Bürger direkt berühren und die hohe Politik und internationale Probleme und Entwicklungen in den Hintergrund drängt. „Todessturz im Hauptbahnhof", „2,7 Promille im Blut: So starb Häftling Sax Gösch", „Polizei befürchtet neuen Banküberfall" – das sind einige Beispiele. Die Politik wird natürlich nicht ganz ausgelassen.

Noch mehr als andere Zeitungen suchen Boulevardblätter den Kontakt mit dem Leser. Das zeigt sich in der Bedeutung, die man Leserbriefen und Leseranfragen zumißt, aber auch in Artikeln wie dem obigen („Viele HVV-Kunden sind sauer . . ."), die sich mit Mißständen und Klagen seitens der Bürger befassen.

Und recht häufig haben Zeitungen wie die *Hamburger Morgenpost* oder *Bild* auch Erfolg mit solchen Aktionen: das energische Eintreten für eine Sache zwingt die Behörden, etwas zu tun.

1. **Fragen zum Text „Wir werden zu Schwarzfahrern erzogen":**

a. Warum fühlen sich viele Fahrgäste zum Schwarzfahren erzogen?
b. Welche Probleme ergeben sich durch die „stummen Verkäufer"?
c. Was wird im nächsten Jahr geändert?
d. Warum beschweren sich viele Leser der „Hamburger Morgenpost"?
e. Was sagt Hans Leopold zum Problem der Arbeitskräfte?

2. **Diskussionsthemen:**

a. Werden Sie lieber von einem Verkäufer oder von einem Apparat bedient?
b. Sollten öffentliche Verkehrsmittel kostenlos sein?
c. Sind Sie mit den öffentlichen Verkehrsmitteln in Ihrem Ort zufrieden?
d. Sollte mehr Geld für Straßen oder für öffentliche Verkehrsmittel ausgegeben werden?

3. **Setzen Sie bitte eines der folgenden Wörter in die Lücken ein:**

bevor, bis, dann, noch, weiter

a. Sie haben kein Kleingeld? . . . . . müssen Sie Ihr Geld am Schalter wechseln lassen. **b.** Es gibt . . . . . keine Automaten, die Fünf-Mark-Stücke annehmen, aber im nächsten Jahr werden wir welche bekommen. **c.** . . . . . zum nächsten Jahr werden die Fahrgäste noch warten müssen. **d.** . . . . . Sie in die U- oder S-Bahn einsteigen, müssen Sie eine Fahrkarte lösen. **e.** Es muß eine Lösung gefunden werden, denn so geht es nicht . . . . . .

4. **Setzen Sie bitte in jede Lücke ein passendes Wort ein:**

a. Ohne öffentliche Verkehrsmittel ist es vielen Bürgern unmöglich, ihre Arbeitsplätze zu . . . . . **b.** Es muß doch . . . . . sein, Apparate zu bauen, die wirklich funktionieren. **c.** Da sie schnell zur Arbeit müssen, haben viele Fahrgäste es sehr . . . . . und können nicht lange am Schalter warten. **d.** Warum stellen Sie nicht noch einige Wechselautomaten . . . . .?

44

5. Wählen Sie bitte die richtige Form der eingeklammerten Wörter:

a. Im kommenden Jahr werden wir versuchen, noch mehr Wechselautomaten an den Haltestellen (aufstellen). **b.** Viele Experten glauben, daß U-Bahnen das (geeignet) Verkehrsmittel für große Städte sind. **c.** Durch die hohen Benzinpreise sind viele Leute (zwingen), weniger mit dem Auto und mehr mit der Straßenbahn zu fahren. **d.** Während die öffentlichen Nahverkehrsmittel immer mehr Schulden haben, werden für den Straßenbau große Summen (ausgeben) **e.** Wenn unsere Städte weiterhin so schnell wachsen, werden immer mehr Menschen einen (weit) Weg zu ihrer Arbeitsstätte haben **f.** Es muß versucht werden, eine (besser) Lösung zu finden.

Erläuterungen zum Text:

sauer *(Umgangssprache)*: ärgerlich, verärgert
schwarzfahren: Fahren ohne Fahrkarte
U-Bahn: Untergrundbahn
S-Bahn: Schnellbahnsystem in Großstädten (Teil der Bundesbahn)
stumme Kartenverkäufer: Automaten für den Fahrkartenverkauf
lediglich: nur, bloß
übertölpeln: überlisten, übervorteilen
die Apparate schlucken Fünf-Mark-Stücke: die Apparate nehmen Fünf-Mark-Stücke an
Groschen: Zehn-Pfennig-Stück
Nahverkehrsteilnehmer: Leute, die Nahverkehrsmittel benutzen (z. B. Straßenbahn, Bus, U-Bahn usw.)
Bußgelder: Geldstrafen
Protestbrief: Beschwerdebrief
Gebühren: Betrag, der für Leistungen zu zahlen ist
Personal für den Schalterdienst abziehen: Personal aus anderen Bereichen wegnehmen und am Fahrkartenschalter einsetzen
Wechselautomat: Maschine, die Geld wechselt
die Wechsler ausräumen: die Wechselautomaten leermachen
in Anspruch nehmen: benutzen
eine Fahrkarte lösen: eine Fahrkarte kaufen
Wechselgeld: Kleingeld, Geld zum Wechseln großer Münzen und Scheine

Hannoversche Allgemeine

ZEITUNG

Kommentar zu Zandvoort

Programmierter Tod?

Tote im Automobilrennsport sind nichts Neues mehr in unserer Zeit. Man hat sich längst damit abgefunden, daß die Jagd um Zehntelsekunden, um Weltmeisterschaftspunkte und um Ruhm und Ehre in superschnellen Autos zu einem gefährlichen Hasardspiel geworden ist. Was bringt Menschen dazu, sich diesem Sport zu verschreiben? Jeder, der sich an das Volant eines Rennwagens setzt, weiß von der Gefahr, in die er sich begibt. Er weiß, daß der kleinste Fehler das Leben kosten kann. Doch es wird immer genug geben, die es einem Stewart oder Fittipaldi nachmachen wollen, die als erste die Ziellinie der Grand-Prix-Kurse überfahren wollen und die im Scheinwerferlicht der Öffentlichkeit stehen wollen. An diejenigen, die im Rennwagen den Tod fanden — Clarke, McLaren, Rindt, Courage, um nur einige zu nennen — denkt man weniger.

Die Zuschauer des Großen Preises von Holland in Zandvoort und die Millionen an den Fernsehgeräten konnten am Sonntag einmal mehr erleben, welch ein makabres Schauspiel der Tod eines Menschen im Rennwagen sein kann. Vielleicht war es nicht einmal so sehr die Tatsache, daß ein Rennfahrer verbrannte, sondern daß man vielmehr mit ansehen mußte, wie keiner der Streckenposten am Unfallort auch nur eine Bewegung machte, den in seinem Wagen gefangenen Engländer Roger Williamson zu helfen. So blieb es dann einem anderen Grand-Prix-Neuling, dem Engländer David Purley, überlassen, den Versuch zu unternehmen, mit bloßen Händen den lichterloh brennenden March seines Landsmannes wieder aufzurichten und ihn mit einem Minifeuerlöscher zu löschen.

Minutenlang war es nur Purley, der etwas unternahm. Keiner seiner Grand-Prix-Kollegen dachte auch nur daran, zu stoppen und zu helfen; die Feuerwehr (mit Leuten, die auf solche Fälle spezialisiert sind) erschien erst am Unfallort, als der Wagen fast völlig ausgebrannt war.

Wer dachte, das Rennen würde nach einem solch schrecklichen Unfall gestoppt werden, der irrte. Die Show ging weiter. Runde um Runde, mehr als 60mal, fuhren Stewart und Co. an den Trümmern des ausgebrannten March vorbei. Ein Stewart, der sich nachher auch über seinen Sieg freuen konnte ...

Autorennen werden weitergehen. Die Frage nach dem Schuldigen nach solchen Unfällen bleibt. Schuldlos sind ganz bestimmt nicht die Sponsoren solch junger und unerfahrener Piloten, wie Roger Williamson es einer war. Leute, die es ermöglichen, daß sich Fahrer, die kaum in der Formel II Erfahrung haben, an das

Steuer eines 470 PS starken Formel-I-Boliden setzen können. Fanatiker, die die Karriere ihrer Schützlinge zu programmieren versuchen. In diesem Fall war es Tom Wheatchroft, einer jener reichen Engländer, die ihren Protegé unbedingt in der Formel I sehen wollen.

Schuld haben aber auch solche Leute wie March-Teamchef Mosley, der weniger auf das Können seiner Piloten sieht als vielmehr auf die Mitgift. So verdankte Williamson seinen Grand-Prix-Start (und seinen Tod) nur der Tatsache, daß sein Sponsor Wheatchroft mehr Geld auftreiben konnte als die Sponsoren des Franzosen Jarier, der eigentlich regulärer March-Werkspilot war.

Es bleibt nur zu hoffen, daß Geschäfte dieser Art sich nicht im Grand-Prix-Sport etablieren. Zu hoffen bleibt ferner, daß nicht alle Teamchefs so skrupellos sind wie die March-Führung. Und es bleibt zu hoffen, daß die Streckenposten am Nürburgring, wo am kommenden Wochenende der Große Preis von Deutschland stattfindet, im Falle eines Falles nicht zuschauen, sondern helfen.

Horst Rautenhaus

Erscheinungsweise: werktags morgens
Auflage: 190 000
Verlag: Verlagsgesellschaft Madsack & Co., Postfach 209, D–3000 Hannover 1
Gründungsjahr: 1893
Allgemeine politische Richtung: liberal-konservativ

Was interessiert den Leser ganz besonders, wenn er seine Tageszeitung aufschlägt? Eine Antwort auf diese Frage finden wir in einer Leseranalyse, die vor einiger Zeit für die *Hannoversche Allgemeine Zeitung* gemacht wurde. Danach bezeichneten sich 74 Prozent der Befragten als „besonders interessiert" am lokalen Teil (Hannover und Umgebung) und 61 Prozent fanden den politischen Teil interessant. Dann folgten der Anzeigenteil mit 51, die Wochenendbeilage (Unterhaltung und Reportagen) mit 49 und der Wirtschaftsteil mit 38 Prozent.

Man erkennt auch hier die Doppelfunktion, die ein Blatt wie die *Hannoversche Allgemeine Zeitung* zu erfüllen hat: einerseits muß das Interesse des Lesers an lokalen Ereignissen befriedigt werden, andererseits dürfen auch die Probleme der Bundesrepublik Deutschland und die Weltsituation nicht vernachlässigt werden.

Im Anzeigenbereich – nicht im redaktionellen Teil – arbeitet die *Hannoversche Allgemeine* seit einiger Zeit eng mit dem einzigen Konkurrenten in Hannover, der *Neuen Hannoverschen Presse*, zusammen.

47

1.   Fragen zum Text „Programmierter Tod?":

a. Womit hat man sich längst abgefunden?
b. Was sollte jeder wissen, der sich an den Volant eines Rennwagens setzt?
c. Was mußten die Zuschauer in Zandvoort mitansehen?
d. Wer half dem verunglückten Rennfahrer?
e. Wann erschien die Feuerwehr?
f. Wurde das Rennen nach dem Unfall abgesagt?
g. Wer sind die Schuldigen?

2.   Diskussionsthemen:

a. Sollte man Autorennen verbieten?
b. Warum sind so viele Menschen an Autorennen interessiert?

3.   Wandeln Sie bitte die Sätze nach folgendem Muster um:

> Der kleinste Fehler kann das Leben kosten.
> Er sagte, der kleinste Fehler könne das Leben kosten.

a. Tote im Automobilsport sind nichts Neues mehr in unserer Zeit.
b. Es bleibt zu hoffen, daß die Leute im Falle eines Unfalls helfen.
c. Autorennen werden trotzdem weitergehen.
d. Nur wenige denken an diejenigen, die im Rennwagen den Tod fanden.
e. Nur einer hat versucht, dem verunglückten Rennfahrer zur helfen.
f. Geschäfte dieser Art bringen viel Geld.
g. Autorennen sind längst zu einem gefährlichen Hasardspiel geworden.

4.   Wählen Sie bitte die richtige Form der eingeklammerten Wörter:

a. Als die Feuerwehr an den Unfallort (kommen), war der Wagen fast völlig (ausbrennen).   **b.** Es (bleiben) zu hoffen, daß nicht alle so skrupellos (sein).   **c.** Damals (denken) keiner daran, das Rennen zu stoppen und dem verunglückten Rennfahrer zu helfen.

5. Setzen Sie bitte die richtige Form eines der folgenden Wörter in die Lücken ein:

> durchführen, handeln, unternehmen, veranstalten

a. Keiner der Streckenposten . . . . . etwas, um ihm zu helfen. **b.** Sein Kollege hat richtig . . . . ., als er den Versuch . . . . ., den brennenden Wagen aufzurichten. **c.** In Zukunft müssen strengere Sicherheitsmaßnahmen . . . . . werden. **d.** In Zandvoort (Holland) werden viele Grand-Prix-Rennnen . . . . .

Erläuterungen zum Text:

Weltmeisterschaft: Wettkämpfe, durch die der beste Sportler oder die beste Mannschaft der Welt ermittelt werden
Hasardspiel: Glücksspiel
sich dem Autosport verschreiben: sich ganz dem Autosport widmen
Volant: Steuerrad, Steuer (z. B. eines Autos)
Grand-Prix-Kurse: Grand-Prix-Rennstrecken (Grand Prix = Großer Preis)
ein makabres Schauspiel: ein unheimliches, schreckliches Ereignis
Streckenposten: Leute, die die Rennstrecke überwachen
lichterloh brennen: stark brennen
March: Name einer Rennwagenfirma
Minifeuerlöscher: kleines Gerät zum Löschen von Bränden
Sponsoren: Leute, die etwas unterstützen oder fördern
Formel I, Formel II: Bezeichnung für Rennwagentypen
Boliden: Fachausdruck für „Rennwagen"
Fanatiker: jemand, der sich zu leidenschaftlich für etwas einsetzt
Schützling: jemand, den man betreut oder für den man sorgt
Protegé: = Schützling
Mitgift: *(hier:)* die finanziellen Mittel, die ein Rennfahrer mitbringt
Werkspilot: Rennfahrer, der für eine Firma tätig ist
Geld auftreiben: Geld besorgen oder beschaffen
daß solche Geschäfte sich nicht etablieren: daß derartige Dinge nicht alltäglich werden
skrupellos: ohne Skrupel oder Bedenken, gewissenlos
im Falle eines Falles: wenn tatsächlich etwas passieren sollte

Kölner Stadt-Anzeiger

KÖLNISCHE ZEITUNG

QUER DURCH KÖLN

Kunst ohne Muff

Winfried Honert

„Museum", das klingt für viele Bürger nicht anders als „Muff". Das läßt sie an hehre Hallen denken, in die man als Schulkind zwangsverschleppt wird, in denen man nicht laut sprechen und schon gar nicht ein Butterbrot kauen darf. Das erinnert an Luft, in der nur Eingeweihte mit höheren Weihen des Sachwissens ein wenig freier zu atmen wagen, an Bohnerwachs und das Gefühl ständig beobachtet zu werden.

Brachte man bisher den Bürger der Kunst oder dem Kulturgut seiner Ahnen nahe, wurde er meist gleichzeitig mit Bedacht davon ferngehalten. Die Tageslosung hieß fast immer noch „Berühren verboten" und „Ehrfurcht erwünscht", Erwachsene hatten ihre Mündigkeit an der Kasse abzugeben, sie wurden (und werden) wie ein Kind behandelt, das vor Urgroßvaters Kaffeetasse steht und sie, paßt man nicht gehörig auf, hinunterschmeißen könnte.

Und doch: Es soll auch anders gehen. Den Beweis dafür zu führen, schickt sich Professor Borger an: Im neuen Haus des Römisch-Germanischen Museums am Dom soll die Betonung gerade auf den Dingen liegen, die in einem Museum offenbar undenkbar waren: Der Bürger und seine Gäste werden Kunst und Kulturgut alter Zeit nicht nur berühren, sie werden es sogar — im ursprünglichsten Sinne des Wortes — besitzen dürfen.

Noch ist es kaum vorstellbar, und doch wird der Besucher dieses Hauses der Vergangenheit hautnah begegnen können. Er darf nicht nur scheu betasten, was vor Jahrhunderten und Jahrtausenden einmal neu war. Er wird sogar aufgefordert, mit solchen Dingen umzugehen.

Das Unglaubliche aber: Der neue Chef in Kölns Römisch-Germanischem Reich will nicht nur die Türen seines Hauses so weit öffnen. Er hat auch keine Angst davor, daß bei dem dann entstehenden frischen Wind etwas beschädigt werden könnte. Zerbrochenes, weiß dieser Museumschef, läßt sich wieder reparieren. Wann je hat ein Museumschef so gedacht?

Köln kann sich auf das neue Museum freuen. Weil es zum Erlebnis werden wird. Und weil der eine oder andere Museumschef, der auf diesen Gedanken noch gar nicht gekommen ist, sich durch dieses Beispiel vielleicht dazu anregen läßt, im eigenen Haus auch einmal gründlich zu lüften.

LESERBRIEFE

viele bevorzugen kleinschreibung

zum thema kleinschreibung:

als leser ihrer zeitung möchte ich ihnen vorschlagen, doch einmal einen oder mehrere artikel nur in kleinbuchstaben abzudrucken, damit endlich jemand den ersten schritt zu einer reform des deutschen rechtschreibwesens macht. vielleicht bekämen dadurch auch andere zeitungen oder gar verlage den mut, sich über die unsinnige groß- und kleinschreibung hinwegzusetzen. ich praktiziere die kleinschreibung schon seit einiger zeit und habe eigentlich nur positive erfahrungen gemacht.

bei eltern, deren kinder gerade mit der großschreibung schwierigkeiten haben, werden sie ganz sicher auf eine gebührende resonanz stoßen.

hans-otto lohrengel,
niederkassel

Erscheinungsweise: werktags morgens
Auflage: 259 000
Verlag: DuMont Schauberg, Breite Straße 70, D–5000 Köln 1
Gründungsjahr: 1802
Allgemeine politische Richtung: liberal bis sozialdemokratisch

---

Der Kölner DuMont-Schauberg-Verlag, in dem auch die Boulevardzeitung *Express* erscheint, kann auf eine lange liberale Tradition zurückblicken. Schon 1802, als man die *Kölnische Zeitung* druckte, gab es Zusammenstöße mit den Behörden, die das Blatt 1805 zum ersten Mal verboten. Heute ist der *Kölner Stadt-Anzeiger* eine engagierte Regionalzeitung, die weiterhin das liberale Erbe pflegt. Über viele Jahre hinweg wurde sie von dem Chefredakteur Joachim Besser geleitet, der 1960 die *Welt* nach deren Kursänderung verlassen hatte.

Seine politische Einstellung – die *Süddeutsche Zeitung* bezeichnete ihn einmal als „radikalliberal" – rief 1970 Schwierigkeiten hervor. Er wurde daraufhin unter dem Protest der Redakteure vorzeitig entlassen und Kurt Becker – in einigen Fragen konservativer – übernahm die Leitung.

Wie in allen Regionalzeitungen, so ist auch im *Kölner Stadt-Anzeiger* ein großer Teil des Platzes lokalen Ereignissen gewidmet, mit separaten Ausgaben für die Gebiete um Köln.

51

1.   Fragen zum Artikel „Kunst ohne Muff":

a. Woran denken viele Bürger, wenn sie das Wort „Museum" hören?
b. Was darf man in Museen gewöhnlich nicht tun?
c. Wie wird der Bürger in Museen oft behandelt?
d. Was wird im neuen Römisch-Germanischen Museum anders sein?
e. Was denkt der neue Museumschef über zerbrochene Kunstgegenstände?

2.   Diskussionsthemen:

a. Haben Museen überhaupt noch eine Funktion in der heutigen Zeit?
b. Glauben Sie auch, daß man das Berühren von Kunstgegenständen erlauben sollte?
c. Wie sieht es mit den Museen in Ihrer Stadt aus? Gibt es dort noch „Muff" oder nicht?

3.   Wandeln Sie bitte die Sätze nach folgendem Muster um:

> Wenn man bisher den Bürger der Kunst seiner Ahnen nahebrachte, wurde er meist gleichzeitig mit Bedacht davon ferngehalten.
>
> Brachte man bisher den Bürger der Kunst seiner Ahnen nahe, so wurde er meist gleichzeitig mit Bedacht davon ferngehalten.

a. Wenn eine Stadt ein neues Museum einrichtet, sollte sie versuchen, es attraktiv zu gestalten.
b. Wenn der Chef des Museums Besucher anlocken will, muß er sich etwas Neues einfallen lassen.
c. Wenn Kunst für einen größeren Kreis interessant werden soll, muß man sie ohne „Muff" anbieten.
d. Wenn man bisher in ein Museum ging, war das Berühren der Kunstgegenstände immer verboten.
e. Wenn Bilder berühmter Maler ausgestellt werden, ist das Interesse der Bürger oft recht groß.

52

4. Setzen Sie bitte die richtige Form eines der folgenden Wörter in die Lücken ein:

aufgeschlossen, freigiebig, offensichtlich, öffentlich

a. Es ist gar nicht schwierig, ihn für neue Ideen zu begeistern, da er ein sehr . . . . ., vielseitig interessierter Mensch ist. **b.** Wir hielten sie alle für geizig, sahen dann aber an der Höhe ihrer Spende, daß sie doch recht . . . . . war. **c.** Seine Rede hatte die Anwesenden . . . . . enttäuscht: es gab kaum Beifall. **d.** Obwohl starke Bedenken gegen eine Beteiligung der Zuschauer geäußert wurden, bestand die Opposition auf einer . . . . . Sitzung. **e.** An seinem angestrengten Gesicht sah man, daß der Sportler . . . . . große Mühe hatte, seinen starken Gegner zu besiegen.

Erläuterungen zum Text:

Kunst ohne Muff: Kunst ohne verstaubte Traditionen, ohne Rückständigkeit

hehre Hallen: erhabene, heilige Hallen oder Räume

zwangsverschleppt: mit Gewalt irgendwo hingebracht

Eingeweihte mit höheren Weihen des Sachwissens: mit Kunst vertraute Personen (z. B. Leute, die beruflich mit Kunst und Museen zu tun haben und daher Bescheid wissen)

Kulturgut: alle kulturellen Errungenschaften eines Landes (Literatur, Malerei, Skulpturen, Musik usw.)

Ahnen: Vorfahren (= frühere Generationen einer Familie)

mit Bedacht: sorgfältig, überlegt

Tageslosung: das Motto oder die Richtlinien für den Tag

Ehrfurcht: Scheu, große Achtung oder Verehrung

sie hatten ihre Mündigkeit abzugeben: sie mußten so tun, als ob sie noch nicht mündig wären (mit 18 Jahren wird man mündig)

gehörig aufpassen: sehr oder sorgfältig aufpassen

er schickt sich an, den Beweis zu führen: er fängt gerade an, es zu beweisen

ursprünglich: so, wie es am Anfang war

hautnah: ganz nah; so nah, daß man es (fast) berühren kann

frischer Wind: neue Ideen, neue Einfälle

Münchner Merkur

Münchener Zeitung für Politik   Wirtschaft Kultur und Sport

Pannen beim Gran Turismo

Was unsere Urlaubsplaner alles nicht bieten

„Wenn Du schon so viel arbeitest, sollst Du wenigstens reisen und Dir was leisten!" Mit diesem Slogan lassen sich viele Urlaubsuchende abspeisen, ohne sich vorher gründlich über das zu informieren, was sie da konsumieren sollen: über ferne, exotische Länder oder das nahe Ferienzentrum an der Ostsee. Hauptsache, der Rubel rollt! Hauptsache, sie lassen sich in die große, weite, pittoreske Welt katapultieren, auf ihrer Suche nach Erfahrungen, nach Individualität — so wie es ihnen die zahllosen Kataloge versprechen.

In der Bundesrepublik — wie auch in vielen anderen europäischen Ländern — überläßt man Planung und Organisation von Freizeit und Ferien Unternehmern, Bauherren oder Touristik-Kaufleuten. Sie lenken den Strom der Masse aus dem Smog der Städte, ohne ihr bislang die Wunschwelt anbieten zu können. „Dabei sollte es gerade in unserer hochindustrialisierten Gesellschaft möglich sein, den Urlaub für jeden menschlich, erschwinglich und attraktiv zu gestalten", sagt Erhard Klöss, Autor und Regisseur des Films „Gran Turismo: Bitterer Urlaub" (16.05 Uhr, ARD), der eine Reihe von Einsichten vermitteln will. „Daß dies nicht möglich ist, liegt nicht zuletzt daran, daß Laien wie Wissenschaftler über die schönste Zeit im Jahr, über die Ferien, noch viel zu wenig wissen; weil Freizeit- und Ferienforschung an den deutschen Universitäten nur am Rande betrieben wird; weil bisher nur einige wenige, meistens private Institutionen die Bedürfnisse untersuchen, die Touristen in ihrem Urlaub erfüllt haben wollen und müssen, um ihre mit zunehmender Freizeit verstärkt auftretenden Probleme zu lösen."   **w.**

Fräulein ade

lb. „Eine Frau ist eine Frau und muß deshalb auch so angeredet werden." Das ist der Kernsatz eines Rundbriefes zur Höflichkeit, den Innenminister Merk laut Mitteilung vom Freitag jetzt in seinem Haus kursieren läßt. Im Schriftverkehr wie im Gespräch müssen die Merk unterstellten Behörden künftig die Anrede „Frau" verwenden. Eine Ausnahme sei nur zu machen, wenn die „Adressatin" ausdrücklich als „Fräulein" angesprochen werden möchte. Ferner wurde Beamten empfohlen, Briefe nicht mehr mit „Sehr geehrte Herren", sondern mit „Sehr geehrte Damen und Herren" zu eröffnen.

Erscheinungsweise: werktags morgens
Auflage: 190 000
Verlag: Münchener Zeitungs-Verlag, Pressehaus Bayerstraße,
D–8000 München 2
Gründungsjahr: 1947
Allgemeine politische Richtung: konservativ

Der *Münchner Merkur* erscheint mit 13 Regionalausgaben in München und im oberbayerischen Raum. Er erreicht täglich etwa 33 Prozent der Bevölkerung in diesem Gebiet, sogar 42 Prozent zusammen mit dem im gleichen Verlag erscheinenden Boulevardblatt *tz*.
Interessant ist noch die Tatsache, daß nur 52 000 Personen sowohl den *Münchner Merkur* als auch *tz* lesen: es besteht also eine klare Abgrenzung zwischen den Leserkreisen der beiden Blätter.
Der *Münchner Merkur* entstand aus dem 1892 gegründeten *General-Anzeiger der Haupt- und Residenzstadt München,* der 1898 in *Münchner Zeitung* umbenannt wurde. Diese Zeitung wurde 1943 zwangsweise eingestellt. Nach dem zweiten Weltkrieg erschien die erste Ausgabe des *Münchner Merkur.*
Inhaltlich bewegt sich der *Münchner Merkur* etwa in dem gleichen Bereich wie die anderen vergleichbaren Regionalzeitungen: die ersten drei oder vier Seiten sind der internationalen und der deutschen Politik gewidmet, danach folgen Artikel zum Thema Wirtschaft, Kultur und Sport. Probleme der Stadt München und des Landes Bayern nehmen ebenfalls einen recht breiten Raum ein.

1. Fragen zum Text „Pannen beim Gran Turismo":

a. Informieren sich alle Urlauber gründlich, bevor sie verreisen?
b. Wie können sich die Urlauber über die Angebote der Reiseunternehmen informieren?
c. Wem überläßt man Planung und Organisation von Freizeit und Ferien?
d. Was sollte in einer hochindustrialisierten Gesellschaft möglich sein?
e. Was sagt der Filmautor über Freizeit- und Ferienforschung?

2. Diskussionsthemen:

a. Ist Urlaub notwendig?
b. Was sind die Vor- und Nachteile einer Pauschalreise?
c. Was sollten alle Urlauber tun, bevor sie in ferne Länder fahren?
d. Wird durch Reisen die Völkerverständigung erleichtert?
e. Fördern Reisen die Allgemeinbildung?
f. Welchen Einfluß hat der Tourismus auf ein Land?

3. Setzen Sie bitte die richtige Form eines der folgenden Wörter in die Lücken ein:

ankündigen, informieren, mitteilen, schildern

a. Als wir uns beim Reisebüro über die schlechte Unterkunft beschwerten, ... man uns ....., daß der Fall geprüft würde.
b. Es ist recht leichtsinnig, in fernöstliche Länder zu reisen, ohne sich vorher gründlich über die Impfbestimmungen zu .....
c. Die Touristen, die gerade aus den USA zurückgekommen waren, ... ausführlich ihre Reiseerlebnisse.
d. Die Regierung ..... ein Gesetz zum Schutz der Umwelt ....., um die Zerstörung der Landschaft – und damit des Tourismus – zu verhindern.
e. Für das kommende Jahr haben viele der großen Reiseunternehmen Preiserhöhungen ....., um die höheren Treibstoffkosten auszugleichen.
f. ..... Sie uns doch bitte auf dem beiliegenden Formular ....., ob Sie ein Einzel- oder Doppelzimmer wünschen.

56

4. **Bilden Sie bitte Sätze nach folgendem Muster:**

---

trinken / Auto fahren
Wenn Sie weiter so viel trinken, werden Sie nicht Auto fahren können.

Geld ausgeben / in Urlaub fahren
Wenn Sie weiter so viel Geld ausgeben, werden Sie nicht in Urlaub fahren können.

---

a. reisen / das Haus kaufen **b.** Fehler machen / die Prüfung bestehen **c.** essen / das neue Kleid anziehen **d.** Arbeit haben / nach Spanien fahren **e.** träumen / vorwärts kommen **f.** fernsehen / die Sprachschule besuchen **g.** Regen haben / Schifahren **h.** rauchen / mehr Fußball spielen

Erläuterungen zum Text „Pannen beim Gran Turismo":

Gran T(o)urismo: Bezeichnung eines Wagentyps; hier scherzhaft übernommen
sich abspeisen lassen: sich mit ungenügenden Erklärungen zufrieden geben
exotische Länder: fremde Länder (besonders des Orients und Asiens)
der Rubel rollt *(Umgangssprache)*: das Geld fließt (= es ist genug Geld da)
sie lassen sich in eine pittoreske Welt katapultieren: sie lassen sich in eine fremdartige, malerische Welt fliegen
Touristik-Kaufleute: in der Reisebranche tätige Angestellte
Laien: Nicht-Fachleute
Ferienforschung: Untersuchungen über Ferien und Ferienplanung
nur am Rande: nicht als Hauptsache
Bedürfnisse der Touristen: Wünsche oder Verlangen der Urlauber

Erläuterungen zum Text „Fräulein ade":

Fräulein ade: die Anrede „Fräulein" sehen wir nicht wieder
Kernsatz: wichtigster Punkt, Mittelpunkt
Rundbrief: Schreiben an mehrere Empfänger
laut Mitteilung: wie es in der Mitteilung stand
kursieren: rundlaufen, umlaufen (z. B. ein Gerücht oder ein Schreiben)
Adressatin: Empfängerin (z. B. eines Briefes)

RHEINISCHE POST

ZEITUNG FÜR POLITIK UND CHRISTLICHE KULTUR

Sozialprestige durch Rauchen

Blauer Dunst verschafft die ersehnte Anerkennung

Das Gesamtangebot an Zigaretten umfaßt heute in der Bundesrepublik über 200 Marken. Aber drei Viertel des Konsums decken vier von ihnen. Der Staat verdient gut daran. Über 100 Milliarden pro Jahr gerauchter Zigaretten bringen über fünf Milliarden Steuern nach Bonn. Da steht die Gesundheitsministerin auf verlorenem Posten. Die Wirkungen des

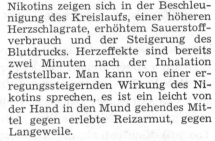

Nikotins zeigen sich in der Beschleunigung des Kreislaufs, einer höheren Herzschlagrate, erhöhtem Sauerstoffverbrauch und der Steigerung des Blutdrucks. Herzeffekte sind bereits zwei Minuten nach der Inhalation feststellbar. Man kann von einer erregungssteigernden Wirkung des Nikotins sprechen, es ist ein leicht von der Hand in den Mund gehendes Mittel gegen erlebte Reizarmut, gegen Langeweile.

Der Teergehalt pro Zigarette ist auf 15 bis 30 mg zu veranschlagen, für filterlose Zigaretten auf 23 mg im Schnitt. Spätfolgen sind die Verkalkung und Verfettung der Blutgefäße (Verschlußkrankheiten, das „Raucherbein", das in etwa 20 Prozent der Fälle zur Amputation führt), chronische Bronchitis und schließlich Lungenkrebs. Hier allerdings ist der Beweis, auf Indizien beruhend, mit letzter Sicherheit noch nicht erbracht. Da Lungenkrebs aber nur etwa fünf Prozent Überlebenschancen für die folgenden Jahre bedeutet, ist diese These besonders publik. Einwandfrei erwiesen ist die geringere Lebenserwartung von Rauchern. Sie beträgt bei Vierzig- bis Fünfzigjährigen die Hälfte gegenüber den Nichtrau-

chern. Kinder von Müttern, die während der Schwangerschaft rauchten, sind im Schnitt 170 Gramm leichter, und Raucherinnen bringen wesentlich häufiger Kinder zur Welt, die bei der Geburt unter fünf Pfund wiegen. Fragt man nach der ersten Zigarette, so erfährt man, daß die Hälfte der Zehnjährigen es bereits probiert hat. Der eigentliche Rauchbeginn liegt indessen für beide Geschlechter bei 17 Jahren. Je früher begonnen wird, um so höher ist später der Konsum. Die Generation der Alten war zurückhaltender, Männer begannen mit etwa 24. Die Frauen holen heute sehr stark auf. Heute siebzigjährige Frauen haben im Durchschnitt mit 40, heute dreißigjährige Frauen mit 20 begonnen. Dieser Differenz von zwanzig Jahren entsprechen sechs Jahre beim männlichen Geschlecht — eine eindrucksvolle „Emanzipation". Doch noch immer steht fast ein Drittel der Männer dem Rauchen von Frauen ablehnend gegenüber. Sozial niedriger Eingestufte sind stärkere Raucher. In den obersten sozialen Klassen gibt es die meisten Nichtraucher, die wenigsten dementsprechend in den unteren Schichten.

Was das Inhalieren anbelangt, so darf als Faustregel gelten, daß bei tiefster Inhalation annähernd hundert Prozent des mit dem Rauch in die Bronchien geführten Nikotins resorbiert werden, bei mäßiger Inhalation etwa die Hälfte, beim Mundrauchen etwa zehn Prozent. Zigarrenraucher weisen den höchsten Prozentsatz an Nicht-Inhalierern auf (ca. 70), tiefe Inhalierer gibt es in dieser Gruppe nur zu einem Prozent. Pfeifenraucher sind zur guten Hälfte Nicht-Inhalierer. Zigarettenraucher können praktisch nicht auf das Inhalieren verzichten und sind zu 30 Prozent tiefe Inhalierer. Aber warum raucht man denn überhaupt? Am Anfang ist der vielleicht wichtigste Beweggrund die Neugierde, das Wissen-Wollen, was denn nun wirklich an Zigaretten dran ist, wie sie schmecken, was eigentlich so viele andere interessant daran finden. Dazu tritt das Vorbild der Erwachsenen. Generell entsprechen die Rauchgewohnheiten der Eltern denen der Kinder. Die meisten Raucher finden sich unter Studenten und Studentinnen, deren beide Eltern ebenfalls rauchen, und die meisten Nichtraucher stammen aus Familien, in denen beide Eltern ebenfalls nicht rauchen.

GERHARD WEISE

Erscheinungsweise: werktags morgens
Auflage: 409 000
Verlag: Rheinische Post, Pressehaus, D–4000 Düsseldorf
Gründungsjahr: 1946
Allgemeine politische Richtung: konservativ

Die *Rheinische Post* ist eine der größten deutschen Regionalzeitungen, mit einem Verbreitungsgebiet, das weit über Düsseldorf hinausgeht und zum Beispiel Kleve, Solingen, Duisburg, Mönchengladbach und Rheydt mit einschließt (in diesen Orten erscheinen zumeist separate Regionalausgaben). Die zentrale Düsseldorfer Ausgabe bringt neben internationalen Nachrichten detaillierte Berichte lokaler Ereignisse und Probleme in einem besonderen Teil der Zeitung, der sich „Düsseldorfer Stadtpost" nennt und der – besonders an Wochenenden – recht umfangreich ist.

59

1. Fragen zum Text „Sozialprestige durch Rauchen":

a. Auf welche Weise ist der Staat am Zigarettenverkauf beteiligt?
b. Wie reagiert der Körper auf Nikotin?
c. Welche gesundheitlichen Schäden kann das Rauchen verursachen?
d. Wann fangen die meisten mit dem Rauchen an?
e. Gibt es Unterschiede zwischen den Rauchgewohnheiten von Männern und Frauen?
f. Hat Rauchen etwas mit der sozialen Schicht zu tun?
g. Was sagt der Artikel über das Inhalieren aus?
h. Warum rauchen so viele Menschen?

2. Diskussionsthemen:

a. Halten Sie das Rauchen für gesundheitsschädlich?
b. Sollte das Rauchen dort, wo viele Menschen zusammenkommen – zum Beispiel in Büros, Restaurants, Flugzeugen usw. –, verboten werden?
c. Sollte die Zigarettenwerbung eingestellt werden?

3. Verbinden Sie bitte einen Satzteil der ersten Gruppe mit einem der zweiten:

1. Da jährlich viele Millionen Zigaretten verkauft werden,
2. Je mehr Leute in einem Zimmer rauchen,
3. Obwohl immer mehr Frauen rauchen,
4. Viele Raucher wollen einfach nicht glauben,
5. Weil sie so viele Erwachsene rauchen sehen,
6. Wenn man viele Jahre stark geraucht hat,

a. daß ihre Gesundheit gefährdet ist.
b. desto gefährdeter sind auch die Nichtraucher.
c. greifen Jugendliche auch schon früh zur Zigarette.
d. ist es gar nicht so einfach, sich das Rauchen abzugewöhnen.
e. lehnen dies fast ein Drittel der Männer ab.
f. nimmt der Staat eine Menge zusätzlicher Steuergelder ein.

60

4.　　Setzen Sie bitte in jede Lücke ein passendes Wort ein:

a. Obwohl ihn die anderen Reisenden darum baten, lehnte er es . . . . ., seine Zigarette auszumachen.　**b.** Zigarettenraucher weisen einen wesentlich höheren Prozentsatz an Lungenkranken . . . . . als Nichtraucher.

Erläuterungen zum Text:

Konsum: Verbrauch oder Verzehr
sie steht auf verlorenem Posten: sie hat keine Chance
Kreislauf: Bewegung des Blutes in den Adern
höhere Herzschlagrate: schnelleres Schlagen des Herzens
es zeigen sich Herzeffekte: der Herzschlag verändert sich
Inhalation: Einatmen; *(hier:)* das tiefe Einziehen des Zigarettenrauchs in
　die Lunge
es hat eine erregungssteigernde Wirkung: es steigert die Erregung
Reizarmut: Mangel an neuen Eindrücken und Erlebnissen
im Schnitt: durchschnittlich, im Durchschnitt
Blutgefäße: Adern
Verschlußkrankheiten: Krankheiten der Blutgefäße
Raucherbein: Verschlußkrankheit, bei der die Durchblutung eines Beines
　durch das starke Rauchen gestört ist
Amputation: operative Entfernung eines Körpergliedes (z. B. eines Armes
　oder eines Beines)
chronische Bronchitis: langwierige Erkrankung der Luftwege
Krebs: gefährliche Geschwulst im Gewebe
Indizien: Anzeichen; Hinweise
Lebenserwartung: das Lebensalter, das man erreichen kann
indessen: jedoch; aber
er steht der Sache ablehnend gegenüber: er lehnt sie ab
sozial niedrig Eingestufte: Menschen, die man einer niedrigeren (= ärmeren) Gesellschaftsschicht zuordnet
was das Inhalieren anbelangt: was das Einatmen angeht
Faustregel: einfache Regel, die im allgemeinen auf Erfahrung beruht
Bronchien: feine Gänge der Luftröhre
der Rauch wird resorbiert: der Rauch wird aufgenommen

STUTTGARTER ZEITUNG

heute mit *Sportbericht* dem

Straßenbahnstillstand und Kundgebungen – Vorboten eines Streiks?

In Stuttgart standen am Dienstag zwischen 16 und 16.15 Uhr rund 220 Straßenbahnzüge still. Mit diesem viertelstündigen Warnstreik protestierten die Straßenbahnfahrer und -schaffner gegen das ihrer Ansicht nach unzureichende Arbeitgeberangebot von 9,5 Prozent bei den für gescheitert erklärten Tarifverhandlungen im öffentlichen Dienst. Pünktlich um 16 Uhr fuhren die Straßenbahnzüge — auch in den Tunnels — die nächste Haltestelle an und blieben dort bis zu 15 Minuten stehen. Auch die Busfahrer der Straßenbahn legten an den Endstationen der Buslinien eine längere Streikpause ein. Fast alle Fahrgäste waren durch die ständigen Durchsagen im Rundfunk über die Protestaktion der Straßenbahner informiert. Sie blieben in den Zügen sitzen. Offensichtlich hatten viele schon früher an ihrer Arbeitsstelle Feierabend gemacht, damit sie noch vor 16 Uhr zu Hause sein konnten. Einige wenige Fahrgäste machten ihrem Ärger über den Zwangsaufenthalt an den Haltestellen mit handfesten

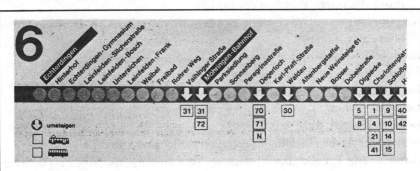

Haltestellen und Umsteiger auf einen Blick

Auch ungeübte Straßenbahnfahrer werden in Zukunft leichter ihren Weg durch Stuttgart finden. Uebersichtliche Linienschilder an der Deckenwölbung der Großraumwagen geben den Kursverlauf einer Linie mit sämtlichen Haltestellen und Umsteigepunkten an. Nach der 28 Kilometer langen Linie 6 (im Bild) soll der „Einser" zwischen Fellbach und Rohr mit den an die Pariser „Metro" erinnernden Schildern ausgerüstet werden. Die neue Kennzeichnung ist für die Wagen aller Linien vorgesehen. fi

Flüchen und mit Bemerkungen wie „Die spinnen ja ..." Luft. Ein Fahrgast in einem Straßenbahnzug der Linie 9 auf dem Schloßplatz zeigte wesentlich mehr Verständnis: „Wenn das wirken soll, müßt Ihr drei oder vier Stunden streiken." Fast an der gleichen Stelle beschimpfte ein Eisenbahner einen Kontrolleur der Straßenbahn: „Wenn Ihr nicht zum Bahnhof fahren wollt, kann ich mein Gewerkschaftsbuch gleich wegschmeißen." Sprach's und ging zu Fuß weiter. Nach den Angaben der Pressestelle der Straßenbahndirektion verlief der Warnstreik ohne jegliche Zwischenfälle. Mit Rücksicht auf die Belastbarkeit des Stromnetzes seien die ersten Züge schon um 16.13 Uhr wieder gefahren. Von 16.15 Uhr an sei der Straßenbahnverkehr wieder normal gerollt. Pressesprecher Peter Brodbeck: „Es gab an keinen Haltestellen Stauungen von Zügen und Fahrgästen."

sic/wiv

Erscheinungsweise: werktags morgens
Auflage: 180 000
Verlag: Stuttgarter Zeitung Verlagsgesellschaft Eberle & Co KG, Eberhardstraße 61 (Turmhaus), D–7000 Stuttgart 1
Gründungsjahr: 1945
Allgemeine politische Richtung: liberal

Der gute Ruf der *Stuttgarter Zeitung* reicht weit über das ursprüngliche Verbreitungsgebiet hinaus, was auch durch die Tatsache belegt wird, daß nur zwei Fünftel der täglichen Auflage in das Land Baden-Württemberg gehen und der Rest in das übrige Bundesgebiet sowie ins Ausland.

Die *Stuttgarter Zeitung* hat sich in den Jahren ihres Bestehens Ansehen und Achtung als liberales Blatt erworben. Für die *Stuttgarter Zeitung* bedeutet der Begriff „liberal" nach ihren eigenen Aussagen, daß „auch verschiedene Meinungen zu einem Thema" veröffentlicht werden. Politisch hält sich die Zeitung an folgende grundsätzliche Einstellungen: Deutschfranzösische Freundschaft, Aussöhnung mit dem Osten, soziale Marktwirtschaft und parlamentarische Demokratie. In den Leitartikeln des Blattes, die ja die Meinung der Redaktion wiedergeben, findet man diese Einstellungen wieder.

Was die *Stuttgarter Zeitung* von überregionalen Qualitätszeitungen unterscheidet, sind die Lokalnachrichten. Auf mehreren Seiten werden Berichte und Analysen, Meldungen und Meinungen von lokalem Interesse gebracht: aus Stuttgart und den angrenzenden Bezirken, aus Baden-Württemberg und aus dem gesamten süddeutschen Raum.

1. Fragen zum Text „Straßenbahn-Stillstand und Kundgebungen –
Vorboten eines Streiks?":

a. Was passierte am Dienstag in Stuttgart?
b. Warum führten die Straßenbahner einen Warnstreik durch?
c. Wie reagierten die Fahrgäste?
d. Verlief der Warnstreik ruhig?

2. Diskussionsthemen:

a. Ist der Streik ein geeignetes Mittel, Lohn- und Gehaltsforderungen
durchzusetzen?
b. Gibt es noch andere Situationen im Berufsleben, die einen Streik recht-
fertigen?
c. Was sind die Vor- und Nachteile eines Streiks?

3. Welche Erklärung paßt zu welchem Wort?

Arbeitgeber	**a.** jemand, der andere gegen regelmäßige Bezahlung beschäftigt
Arbeitnehmer	**b.** jemand, der bei der Deutschen Bundesbahn beschäftigt ist
Eisenbahner	**c.** jemand, der entweder mit der Eisenbahn, dem Flugzeug oder dem Schiff reist
Fahrgast	**d.** jemand, der für eine städtische Nahverkehrsgesellschaft arbeitet
Gewerkschaftler	**e.** jemand, der in der Straßenbahn oder im Zug Fahrkarten verkauft und kontrolliert
Passagier	**f.** jemand, der in einem öffentlichen Verkehrsmittel fährt
Schaffner	**g.** jemand, der in einer Arbeitnehmerorganisation aktiv tätig ist
Straßenbahner	**h.** jemand, der nicht selbständig ist, sondern bei einem anderen gegen Bezahlung arbeitet

4. Wandeln Sie bitte die Sätze nach folgendem Muster um:

Die Fremden sollten lieber die Straßenbahn nehmen, wenn sie in Stuttgart sind. (Fahrer / streiken)
Sie hätten die Straßenbahn genommen, wenn die Fahrer nicht gestreikt hätten.

---

a. Die Straßenbahnfahrer sollten streiken, wenn sie nicht mit den Löhnen zufrieden sind. (Arbeitgeber / das Angebot erhöhen)
b. Die Fahrgäste sollten den Busfahrer fragen, wenn sie in Stuttgart nicht Bescheid wissen. (Taxifahrer / helfen)
c. Die Gäste aus Südamerika sollten das Verkehrsamt fragen, wenn sie kein Hotel in Stuttgart kennen. (Stewardeß / ein Hotel empfehlen)

Erläuterungen zum Text:

Kundgebungen: Versammlungen von Menschen, die ihre Meinung zu einem bestimmten Ereignis oder Thema zum Ausdruck bringen wollen
Vorboten: erste Zeichen, Anzeichen
Warnstreik: kurzfristiger Streik, der die Bereitschaft zum eigentlichen Streik demonstrieren soll
für gescheitert erklären: als erfolglos betrachten
Tarifverhandlungen: Verhandlungen zwischen Arbeitgebern und Arbeitnehmern zur Festlegung von Löhnen und Gehältern
öffentlicher Dienst: Betriebe wie die Bundesbahn oder die Bundespost
sie legten eine Streikpause ein: *(hier:)* sie arbeiteten für kurze Zeit nicht, sie legten die Arbeit für kurze Zeit nieder
Durchsagen im Rundfunk: Bekanntmachungen im Radio
Zwangsaufenthalt: unfreiwilliger Aufenthalt oder Stopp
handfeste Flüche: harte Schimpfworte
die spinnen ja *(Umgangssprache)*: die sind ja verrückt
Kontrolleur der Straßenbahn: Angestellter der Straßenbahngesellschaft, der in den Bahnen die Fahrkarten kontrolliert
Gewerkschaftsbuch: Mitgliedsausweis der Gewerkschaft
Belastbarkeit: Leistungsfähigkeit
Stauungen: Verkehrsstockungen

Süddeutsche Zeitung

MÜNCHNER NEUESTE NACHRICHTEN AUS POLITIK · KULTUR · WIRTSCHAFT · SPORT

Nach dem Urlaub wieder in die Zelle

Nur wenige Gefangene nützen die Freiheit auf Zeit zur Flucht

MÜNCHEN (SZ) — Der Urlaub auf Ehrenwort für Strafgefangene hat sich nach Ansicht des Justizministeriums bewährt. Seit 1970, als in Bayern zum erstenmal Gefangene für einige Tage in Freiheit entlassen wurden, ist diese Praxis immer mehr erweitert worden. Im vergangenen Jahr wurden in Bayerns Justizvollzugsanstalten 2177 Urlaubsgesuche genehmigt, 498 davon für die Weihnachtsfeiertage. Nur etwa ein Prozent der Häftlinge nutzte diese Gelegenheit zur Flucht.

Die 14 Tage Freiheit, die einem Gefangenen pro Jahr höchstens bewilligt werden, sind nicht als angenehme Unterbrechung im grauen Gefängnisalltag gedacht. Vielmehr sollen sie dem Gefangenen die Chance bieten, an seiner Wiedereingliederung in die Gesellschaft selbst mitzuarbeiten. Neben der Festigung familiärer Bindungen sollen sie daher vor allem der Suche nach einer Wohnung oder einem neuen Arbeitsplatz für die Zeit nach der Entlassung dienen. Wer sich bloß ein paar schöne Tage mit der Freundin machen will, so erklärte Ministerialrat Rauchalles vom Justizministerium, bekommt keinen Urlaub.

Daher schließt eine feste Urlaubsordnung einen gewissen Kreis der Gefangenen von vornherein von dieser Vergünstigung aus. Für Häftlinge im sogenannten Erst-

Am Alten Rathaus   Zeichnung: Bauer-Oltsch

66

vollzug gibt es Urlaub nur bei einer Strafhöhe von höchstens fünf Jahren. Außerdem müssen sie schon sechs Monate abgesessen haben, und ihr Strafrest darf unter Einrechnung der zu erwartenden vorzeitigen Entlassung 18 Monate nicht übersteigen. Vorbestrafte Gefangene erhalten Urlaub in der Regel nur bei einer Strafdauer bis zu drei Jahren, ist ihre Strafe höher, so können sie erst neun Monate vor ihrer Entlassung mit Urlaub rechnen. Dasselbe gilt theoretisch auch für „Lebenslängliche" für den Fall, daß ihre Begnadigung bevorsteht. Diese Urlaubsregelung verhindert, daß die Versuchung für die Beurlaubten, nicht mehr in ihre Zelle zurückzukehren, gar zu groß wird.

Neben dem Urlaub, den es für jugendliche und erwachsene Straffällige gleichermaßen gibt, besteht in den Jugendarrestanstalten noch die Regelung des Ausgangs. Ausgang für einen Tag können die Jugendlichen unter bestimmten Voraussetzungen beim Besuch von Verwandten erhalten. Freilich hat der Gefangene weder auf Urlaub noch auf Ausgang einen Rechtsanspruch. Die Entscheidung, ob diese Vergünstigungen gewährt werden, liegt beim jeweiligen Anstaltsleiter. Er hat, so Justizsprecher Rauchalles, aus „nächster Kenntnis des Gefangenen" zu entscheiden, ob eine vorübergehende Entlassung in die Freiheit mit den Zielen des Strafvollzugs zu vereinbaren ist. *Ho.*

Erscheinungsweise: werktags morgens
Auflage: 320 000
Verlag: Süddeutscher Verlag GmbH, Sendlinger Straße 80, D–8000 München 2
Gründungsjahr: 1945
Allgemeine politische Richtung: liberal

„Größte seriöse überregionale Tageszeitung in der Bundesrepublik Deutschland" (*Der Spiegel*), „Das Intelligenzblatt des deutschen Linksliberalismus" (*Bayerischer Rundfunk*), „Deutschlands beste Tageszeitung" (*Der Stern*), „Eine der besten deutschen Zeitungen" (*Time*), „Das beste im westdeutschen Journalismus" (*The Times*) – das sind einige der Urteile über die *Süddeutsche Zeitung,* die trotz ihrer weiten Verbreitung einen umfangreichen Regionalteil aufweist.

Kritiker heben außerdem ihre Objektivität und Ausgewogenheit hervor und bezeichnen sie als „unerschrocken und verantwortungsbewußt von der ersten bis zur letzten Seite". Einer ihrer Chefredakteure nannte sie „gegenüber der jeweiligen Regierung loyal, aber wach und kritisch, . . . im allgemeinen etwas links von der Mitte; aufgeschlossen und tolerant . . .".

1. Fragen zum Text „Nach dem Urlaub wieder in die Zelle":

a. Hat sich der Urlaub auf Ehrenwort bewährt?
b. Nutzten viele Gefangene die Gelegenheit zur Flucht?
c. Warum wurde der Urlaub auf Ehrenwort eingeführt?
d. Bekommen alle Gefangenen Urlaub?
e. Erhalten auch Lebenslängliche Urlaub auf Ehrenwort?
f. Gibt es besondere Bestimmungen für Jugendliche?
g. Hat jeder Gefangene Anspruch auf Urlaub?
h. Wer entscheidet, ob Urlaub auf Ehrenwort gewährt wird oder nicht?

2. Diskussionsthemen:

a. Glauben Sie, daß der Urlaub auf Ehrenwort den Gefangenen hilft, besser in die Gesellschaft zurückzufinden?
b. Sind Gefängnisstrafen ein geeignetes Mittel, einen Straffälligen wieder auf den richtigen Weg zu bringen?
c. Sollten auch Lebenslängliche begnadigt werden?

3. Wählen Sie bitte die richtige Erklärung:

Der Strafrest darf 18 Monate nicht übersteigen ...
... bedeutet: **a.** die Gesamtstrafe darf nicht mehr als 18 Monate betragen   **b.** die Strafe, die der Gefangene noch absitzen muß, darf nicht über 18 Monate hinausgehen

Ihre Begnadigung steht bevor ...
... bedeutet: **a.** ihr Antrag auf Begnadigung liegt dem Justizministerium vor   **b.** sie werden in Kürze freigelassen   **c.** sie werden vorerst nicht freigelassen

Unter bestimmten Voraussetzungen können jugendliche Strafgefangene Ausgang erhalten ...
... bedeutet: **a.** in manchen Fällen können sie das Gefängnis für einige Zeit verlassen   **b.** sie können unter Umständen freigelassen werden

Bilden Sie bitte Sätze nach folgendem Muster:

> 1970 / Gefangene für einige Tage in die Freiheit entlassen
> Seit 1970 sind immer mehr Gefangene für einige Tage in die Freiheit
> entlassen worden.

a. 1960 / Gefängnisse in der Bundesrepublik Deutschland modernisieren
b. 1970 / Anträge auf Urlaub stellen   **c.** Mai 1974 / Einbrüche in Geschäfte und Büros verüben   **d.** 1968 / Häftlinge wegen guter Führung vorzeitig aus der Haft entlassen   **e.** Anfang 1974 / Autodiebstähle verüben
f. 1958 / Gesetze reformieren   **g.** 1969 / Jugendliche verhaften

Erläuterungen zum Text:

Ehrenwort: festes oder feierliches Versprechen
Justizministerium: Regierungsabteilung, die sich mit Gesetzen, Rechtsprechung usw. befaßt
Justizvollzugsanstalt: Gefängnis
Urlaubsgesuch: Antrag auf Gewährung von Urlaub
Wiedereingliederung in die Gesellschaft: Einfügen der ehemaligen Gefangenen in das normale Leben
Ministerialrat: hoher Beamter im Ministerium
Urlaubsordnung: Bestimmungen, die die Gewährung von Urlaub regeln
von den Vergünstigungen ausschließen: nicht an bestimmten Vorteilen teilhaben lassen
Häftlinge im Erstvollzug: Gefangene, die zum ersten Mal verurteilt wurden
vorbestrafte Gefangene: Gefangene, die schon einmal verurteilt wurden
Lebenslängliche: zu lebenslänglicher Haft verurteilte Gefangene
Begnadigung: Straferlaß oder Verminderung der Strafe
Straffällige: Personen, die eine strafbare Handlung begehen
Jugendarrestanstalten: Gefängnisse für Jugendliche
Rechtsanspruch auf Urlaub: gesetzlich festgelegtes Recht, Urlaub zu bekommen
Anstaltsleiter: Direktor eines Gefängnisses
Justizsprecher: Beamter aus dem Justizministerium, der für das Ministerium spricht

WESTDEUTSCHE
ALLGEMEINE
Unabhängige Tageszeitung WAZ Höchste Auflage im Ruhrgebiet

„Gedämpfter" Aufstand auf dem Kennedyplatz

Sechs streitbare Hausfrauen
sammelten 450 Unterschriften

Auch viele Männer mit den Fleisch-Preisbrecherinnen solidarisch

Der „Aufstand der Hausfrauen" spielte sich gedämpft ab: Ohne Transparente, Lautsprecher und ähnliche Hilfsmittel forderten am Samstag sechs Frauen auf dem Kennedyplatz ihre Mitbürger auf, bei ihren Einkäufen Preistreiber zu boykottieren. Die streitbaren Dortmunderinnen Ingrid Kulik und Anita Schmidt, die bei ihrem Aufklärungszug durch das Revier nun auch die Stadt Essen besuchten, wurden in ihren Bestrebungen unterstützt durch die Essener Ortsvorsitzenden des Deutschen Hausfrauenbundes: Käthe Cremer, Ingeborg Hüesker, Eva Tresselt und Margarete Voß.

Die mit Verspätung eingetroffenen Dortmunderinnen begannen nicht, wie angekündigt, um 12 Uhr auf der Kettwiger Straße, wo vergeblich Hausfrauen auf Bänken saßen und der Diskussion harrten, sondern um 12.15 Uhr an einer Ecke des Kennedyplatzes ihre Gespräche mit Passanten. Ein junger Mann meinte: „Hier gehört ein Werbemanager her."

Munter und unermüdlich zogen die sechs Hausfrauen, die besonders den Fleischern mit überhöhten Rindfleischpreisen den Kampf angesagt haben, vorübergehende Mitbürger ins Gespräch. Mit vorbereiteten Listen sammelten sie in zwei Stunden 450 Unterschriften von Essenern, die sich mit den beiden Dortmunder „Preisbrecherinnen" solidarisch erklärten.

IHR FLEISCHER-FACHGESCHÄFT
bietet an:

Dicke **Schweineripppe** 250 g	**1,60**
Frische **Bratwurst** 250 g	**1,45**
Slowakischer **Salat** 360-ml-Glas	**-,98**
Pfirsiche In Scheiben 425-ml-Dose	**-,75**
Langnese **Hausbecher Kirsch** 500-ccm-Becher	**1,75**
Bayrische **Bierwurst** 100 g	**1,08**

Der Fachmann bietet die Garantie für Preis und Qualität.
In Fleischer-Fachgeschäften mit besonderem Plakataushang.

Natürlich gab es auch Gegenstimmen: „Mein Mann ist doch selbst Fleischer. Regen Sie sich doch mal über die gestiegenen Preise der Zigaretten auf. Die werden aber gekauft."

Viele Männer begrüßten die privaten Aufklärungsbemühungen der Dortmunderinnen: „Bravo, daß endlich mal die Frauen auf die Barrikaden gehen!"

Für den 8. August um 15.30 Uhr hat Käthe Cremer mit dem Deutschen Hausfrauenbund einen Informationsnachmittag angesetzt, bei dem sie die Lebensmittelpreise aufs Korn nehmen will.

Der Hausfrauenbund möchte Vermittler zwischen Verbrauchern und Kaufleuten sein. „Es muß ein Weg der Verhandlung gefunden werden", hofft die Vorsitzende der Hausfrauen, die sich langsam zu angriffslustigen Amazonen mausern. „Aber wir haben grundsätzlich nichts gegen Metzger!"

Das wird die Metzger beruhigen. Auf dem Kennedyplatz ließ sich übrigens keiner blicken. Sie hatten am Samstag in ihren Geschäften alle Hände voll zu tun.

Erscheinungsweise: werktags morgens
Auflage: 1 153 000 (einschließlich Westfälische Rundschau)
Verlag: Westdeutsche Allgemeine Zeitungsverlagsgesellschaft E. Brost & J. Funke, Friedrichstraße 36–38, D–4300 Essen
Gründungsjahr: 1948
Allgemeine politische Richtung: sozialdemokratisch

Der erste Chefredakteur, Erich Brost, legte den politischen Kurs und die Aufgaben der *Westdeutschen Allgemeinen Zeitung* folgendermaßen fest: „Die *Westdeutsche Allgemeine Zeitung* ist die erste deutsche Zeitung in der britischen Besatzungszone, die für die Verbreitung in einem ganzen Land bestimmt ist und von keiner Partei, Wirtschaftsgruppe oder weltanschaulichen Richtung abhängig ist. Sie sieht es als ihre Aufgabe an, ihre Leser so objektiv wie möglich über die wichtigsten Ereignisse in der Welt, in Deutschland und in ihrer Heimat zu unterrichten und durch eigene Stellungnahme an der Gestaltung einer von freiheitlichem, sozialem, rechtsstaatlichem Geist gelenkten deutschen und europäischen Gemeinschaft mitzuhelfen. Sie will dabei besonders die Interessen der Bevölkerung des rheinisch-westfälischen Industriegebietes berücksichtigen und ihre Stimme nach außen sein."

Vor einiger Zeit hat die *Westdeutsche Allgemeine Zeitung* – die größte deutsche Zeitung abgesehen von *Bild* – auch die früher selbständigen Tageszeitungen *NRZ* und *Westfälische Rundschau* übernommen.

1. **Fragen zum Text „Sechs streitbare Hausfrauen sammelten 450 Unterschriften":**

a. Wie verlief der „Aufstand" der Hausfrauen?
b. Wem hatten die Frauen den Kampf angesagt?
c. Waren alle Anwesenden der gleichen Meinung?
d. Wie verhielten sich die Männer?
e. Welche Rolle möchte der Hausfrauenbund spielen?

2. **Diskussionsthemen:**

a. Was halten Sie von solchen Aktionen?
b. Sind die Preise für manche Waren überhöht?
c. Was kann man tun, um niedrigere Preise zu erreichen?

3. **Wählen Sie bitte die richtige Erklärung:**

Sie begrüßten die Diskussion . . .
. . . bedeutet: **a.** die Diskussion wurde eröffnet **b.** die Teilnehmer der Diskussion wurden willkommen geheißen **c.** sie dankten den Diskussionsteilnehmern **d.** sie freuten sich über die Diskussion

Sie warteten vergeblich auf die Hausfrauen . . .
. . . bedeutet: **a.** die Hausfrauen kamen nicht **b.** die Hausfrauen kamen zu spät **c.** sie sagten, sie würden auf die Hausfrauen warten **d.** sie waren den Hausfrauen nicht böse, als sie zu spät kamen

Regen Sie sich nicht so auf . . .
. . . bedeutet: **a.** bleiben Sie hier nicht stehen **b.** bleiben Sie ruhig **c.** bleiben Sie ruhig sitzen **d.** laufen Sie nicht so schnell

Sie forderten zum Boycott auf . . .
. . . bedeutet: **a.** sie baten die Hausfrauen um ihre Meinung zum Boycott **b.** sie unterstützten den Boycott **c.** sie versuchten, die anderen zum Boycott zu überreden **d.** sie warnten vor den Folgen eines Boycotts

4.   Setzen Sie bitte in jede Lücke ein passendes Wort ein:

a. Für August kündigten die Ortsvorsitzenden eine neue Veranstaltung
..... b. Die Demonstration spielte sich an einem Nachmittag in Essen
..... c. Sie forderten die Leute ....., sich mit den Preisbrecherinnen solidarisch zu erklären. d. Ein Mann regte sich schrecklich ..... e. Die beiden Dortmunderinnen trafen pünktlich am Kennedyplatz .....

Erläuterungen zum Text:

gedämpfter Aufstand: gemäßigter (= verhältnismäßig ruhiger) Protest
streitbare Hausfrauen: kämpferische oder kampfbereite Hausfrauen
Fleisch-Preisbrecherinnen: Hausfrauen, die die Fleischpreise „brechen"
    wollen (= die niedrigere Preise erreichen wollen)
sich solidarisch erklären: übereinstimmen, die gleiche Meinung haben
Transparente: große Tücher mit Parolen oder Slogans
Preistreiber: jemand, der immer höhere Preise nimmt
Aufklärungszug: Rundgang oder Rundreise zur Unterrichtung und Infor
    mation
Revier: *(hier:)* Gebiet mit Kohlenbergbau; das Ruhrgebiet
die Essener Ortsvorsitzende des Hausfrauenbundes: die Leiterin der Esse
    ner Abteilung des Hausfrauenbundes
sie harrten der Diskussion: sie warteten auf die Diskussion
Passanten: (vorübergehende) Fußgänger
überhöhte Preise: zu hohe Preise
Fleischer: = Metzger
auf die Barrikaden gehen *(Umgangssprache)*: heftig protestieren oder sich
    empören
einen Informationsnachmittag ansetzen: einen Termin für eine Informa
    tionsveranstaltung festlegen
aufs Korn nehmen: angreifen, attackieren
Vermittler: jemand, der versucht, zwischen zwei oder mehr Gruppen eine
    Einigung zu finden
sie mausern sich zu angriffslustigen Amazonen: sie entwickeln sich zu
    kämpferischen Frauen
sie ließen sich nicht blicken: sie kamen nicht
sie hatten alle Hände voll zu tun: sie hatten sehr viel Arbeit

WESTFÄLISCHE
RUNDSCHAU

Elterneinkommen und Bildungschancen

Ernüchternde Statistik

Bildungsstand und mehr oder weniger gefüllte Brieftaschen im Elternhaus stehen in einem unmittelbaren Verhältnis zur schulischen und damit beruflichen Zukunft der Kinder. Diese Erkenntnis ist sicher nicht neu, aber sie ist nun von der Statistik erhärtet und damit erneut bildungspolitisch bedeutsam geworden. Chancengleichheit ist fast zum Schlagwort geworden. Aber die enormen Bemühungen, sie herzustellen und die sozial schwach gestellten Schichten der Bevölkerung in den Bildungssog mit hineinzuziehen, haben nicht den erhofften Erfolg gehabt. Die

Zahl der studierenden Arbeiterkinder ist zwar angestiegen, aber im Vergleich zum prozentualen Anteil der Arbeiter an der erwerbstätigen Bevölkerung ist sie viel zu niedrig. Für eine Gesellschaft, die sich für sehr demokratisch hält, ist es ernüchternd, zu erfahren, daß nur sechs Prozent der ungelernten Arbeiter für ihre Kinder eine Hochschulreife anstreben — gegenüber 54 Prozent der Beamten.

Das Vorurteil von Arbeitern gegenüber gymnasialer Bildung oder Hochschulbesuch ist begreifbar. Bildung ist vielen ein Fremdwort geblieben, weil die

---

KREUZWORTRÄTSEL

LÖSUNG SEITE 91

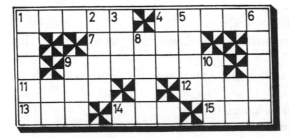

Waagrecht: 1. Heilmittel, 4. Spion, 7. Zuneigung, 9. Rundfunkübertragung, 11. italienischer Wein, 12. Vorname eines Schalksnarren, 13. spanischer Küstenfluß, 14. arabischer Männername, 15. Heizstoff.

Senkrecht: 1. politische Institution, 2. Metall, 3. unbestimmter Artikel, 4. arabisch: Vater, 5. belgische Stadt, 6. nicht ganz, 8. adlig, kostbar, 9. Abkürzung für einen Verkehrsweg, 10. Beiboot.

bisherigen Reformen zu stark auf formale Gesichtspunkte und Neubauten abgestellt waren. Die Schulen selber und die Hochschulen haben durch die immer noch üblichen Ausleseverfahren wenig dazu beigetragen, den Bildungswillen zu stärken. Hinzu kommt der lange Ausbildungsweg, der erst spät zum Geldverdienen führt und manchen Vater abschreckt, den immer noch erheblichen finanziellen Einsatz für die Ausbildung der Kinder zu wagen. Aufklärende Arbeit in dieser Richtung bleibt daher auch ein wichtiges Stück Bildungspolitik. **Fritz Michael**

Erscheinungsweise: werktags morgens
Auflage: 252 000
Verlag: Westfälische Verlagsgesellschaft mbH, Ostenhellweg 42–48 (Rundschauhaus), D–4600 Dortmund
Gründungsjahr: 1946
Allgemeine politische Richtung: sozialdemokratisch

Die *Westfälische Rundschau* ist die mit Abstand auflagenstärkste Regionalzeitung in ihrem Verbreitungsgebiet.

Inhaltlich versucht das Blatt, seinen Lesern eine Mischung aus Boulevardstil und seriösen Berichten zu bieten. Auf den ersten Blick wirkt die *Westfälische Rundschau* fast wie ein Boulevardblatt; wenn man jedoch die Artikel vergleicht, findet man weit mehr ernsthafte Berichterstattung, als es bei reinen Boulevardzeitungen üblich ist.

Die *Westfälische Rundschau* gehört heute zum Verlag der *Westdeutschen Allgemeinen Zeitung*, der zweitgrößten der Bundesrepublik.

1. Fragen zum Text „Ernüchternde Statistik“:

a. Welcher Zusammenhang besteht zwischen dem Vermögen der Eltern und der Ausbildung der Kinder?
b. Wie sieht es mit der Zahl der Arbeiterkinder an den Universitäten aus?
c. Welche Einstellung haben viele Arbeiter gegenüber den Hochschulen?

2. Diskussionsthemen:

a. Wie kann man Arbeiterkindern das Studium erleichtern?
b. Kann man erreichen, daß alle Kinder die gleichen Ausbildungschancen haben?

3. Lesen Sie bitte den folgenden Text . . .

Wie eine Studie ergab, sind es nicht nur finanzielle Probleme, die es Arbeiterkindern schwermachen, die Hochschulreife zu erreichen und zu studieren. Hinzu kommen vielmehr die Schwierigkeiten, die sich aus der unmittelbaren Umgebung ergeben.
Zu Hause finden sie zum Beispiel oft wenig Verständnis bei ihren Eltern, wenn sie sich mit Schulproblemen an sie wenden.
In Familien der Mittelklasse dagegen sind die Eltern im allgemeinen noch mit diesen Dingen vertraut, da sie den gleichen Ausbildungsweg gegangen sind und ähnliche Aufgaben zu lösen hatten.

. . . und setzen Sie die unterstrichenen Wörter in die Lücken ein:

a. Aus seinem Zeugnis . . . . . sich, daß er kein Talent für die mathematisch-naturwissenschaftlichen Fächer hatte. **b.** Bei einer Meinungsumfrage wurde er gefragt: „Wie . . . . . Sie die heutige Bildungspolitik?“ **c.** Dank seiner guten Ausbildung gelang es ihm, sein Ziel in kürzerer Zeit zu . . . . . , als man erwartet hatte. **d.** Warum . . . . Sie sich nicht an das Kultusministerium? Dort wird man Ihnen sicher Auskunft geben können. **e.** Wenn man bedenkt, was für Schwierigkeiten es früher gab, so . . . . . sich doch heute bessere Möglichkeiten, Ausbildungsprobleme zu . . . . .

4. Setzen Sie bitte eines der folgenden Wörter in die Lücken ein:

hat, hätte, ist, sein, sind, wäre, wären, wollen, worden, würden

a. Obwohl man sich bemüht . . . . . , Arbeiterkindern bessere Chancen zu geben, ... der Prozentsatz, der eine Hochschulreife anstrebt, noch sehr gering. **b.** Heute . . . . . so viele studieren, daß die Universitäten und Hochschulen nicht mehr in der Lage . . . . . , alle Studenten aufzunehmen. **c.** Wer studiert . . . . . , ... oft viel besser in der Lage, eine gutbezahlte Stellung zu finden. **d.** Wenn man die Entwicklung vorausgesehen . . . . . , ... vielleicht mehr Universitäten und Hochschulen geplant . . . . . **e.** Die Befragung . . . . . ergeben, daß viele eine bessere Ausbildung für ihre Kinder planen . . . , wenn die Ausbildungszeit nicht so lang . . . . . **f.** Die Chancen für eine gute Schulausbildung . . . . . zwar gestiegen, haben aber noch nicht den Stand erreicht, mit dem man zufrieden . . . . . kann.

Erläuterungen zum Text:

Bildungsstand: die gesamte Erziehung und Schulbildung einer Person
Brieftasche: kleine Mappe für Führerschein, Personalausweis, Geld usw., die man bei sich trägt
unmittelbar: direkt
bildungspolitisch: die Bildungspolitik betreffend *(siehe dort)*
Schlagwort: kurzer, sehr vereinfachender Ausdruck, der eine Idee oder eine Meinung widergeben soll
in den Bildungssog hineinziehen: in den allgemeinen Trend zu mehr (Schul-)Bildung hineinziehen
erwerbstätig sein: arbeiten, um Geld zu verdienen
ernüchternd: enttäuschend
Hochschulreife: abgeschlossene Schulbildung, die zum Besuch einer Universität oder Hochschule berechtigt (z. B. Abitur)
die Reformen sind auf Neubauten abgestellt: neue Schul- und Hochschulbauten waren das Hauptziel der Reformen
Ausleseverfahren: Methode zur Auswahl der Besten
erheblicher finanzieller Einsatz: große Geldausgaben
Bildungspolitik: der Teil der Politik, der sich mit Bildung, Schulen, Berufsausbildung, Universitäten usw. befaßt

Vermischte Presseberichte

Aussöhnung USA-Ägypten

Beziehungen wieder aufgenommen / Neuer Erfolg Kissingers

Washington. Die USA und Ägypten haben gestern offiziell volle diplomatische Beziehungen wieder aufgenommen. Beide Regierungen äußerten die Hoffnung, daß dieser Schritt wesentlich zu besserem gegenseitigen Verstehen und zur Zusammenarbeit beitragen möge. Ägypten hatte während des Sechs-Tage-Krieges im Juni 1967 die Beziehungen zu den USA abgebrochen.

Ein Gespräch zwischen US-Außenminister Kissinger und Präsident Sadat verlief gestern in gelockerter Atmosphäre. Lachend ließen sich beide Politiker vor dem Hintergrund der jahrtausende alten Pyramiden von Gizeh, wo das Gästehaus der ägyptischen Regierung liegt, fotografieren. Sadat sprach von „meinem Freund Dr. Kissinger".

Nach seinen erfolgreichen Vermittlungsbemühungen um eine Truppenentflechtung am Suez-Kanal ist es Kissinger auf seiner jetzigen vierten Nahost-Reise angeblich gelungen, eine „prinzipielle Einigung" zwischen Israel und Syrien über ein Auseinanderrücken der Truppen an der Golan-Front zu erreichen.

Während Kissinger gestern mit Sadat konferierte, verhandelte der sowjetische Außenminister Gromyko in Damaskus mit der syrischen Führungsspitze. Nach Ansicht westlicher Beobachter in Beirut will die Sowjetunion nicht den USA allein die Initiative im arabisch-israelischen Konflikt überlassen.

Düsseldorfer Nachrichten, 1. 3. 1974

Im Blickpunkt:

Chance in Algier

Seit gestern wird in Bonn über den Ausbau der wirtschaftlichen Beziehungen zwischen der Bundesrepublik und Algerien verhandelt. Wenn man bedenkt, daß von sämtlichen deutschen Auslandsinvestitionen seit dem Krieg nur reichlich ein Prozent in ein Land flossen, das inzwischen – und man muß wohl sagen trotzdem – drittgröß-ter Mineralöllieferant der Bundesrepublik geworden ist, dann drängen sich solche Verhandlungen auf.

Algerien unterscheidet sich insofern von manch anderem arabischen Öl-land, als es – ähnlich wie der Irak – eine große Bevölkerung hat, die aber im arabischen Vergleich schulisch und technisch ausgebildet ist. Das wiederum erleichtert es, Ansatzpunkte etwa für technische Hilfe und Kooperationsprojekte zu finden. Nicht umsonst baut ein deutscher Schwermaschinenhersteller ein Zweigwerk in Algerien. Und nicht umsonst hat sich die staatliche algerische Erdölgesellschaft die mit Staatsgeldern arbeitende deutsche Mineralölversorgungsgesellschaft Deminex ins Land geholt, um mit ihr gemeinsam in einer 27 000 Quadratkilometer großen Region nach Öl zu suchen. Energie aus Algerien hat einen in diesem Geschäft nicht zu unterschätzenden Vorteil: Verhandlungspartner für den Abnehmer ist eine Staatsgesellschaft, die – sieht man den deutschen und europäischen Markt – den sich aus der vergleichsweise geringen Entfernung ergebenden Preisvorteil im Konkurrenzkampf einsetzen kann. Die Bundesrepublik sollte die Notwendigkeit Algeriens, Energie gegen Technologie zu verkaufen, als aufrichtiger Partner nutzen.

KARL TIGGES

Kieler Nachrichten, 2. 4. 1974

CDU: Wir werden die Regierung 1976 ablösen

Führung glaubt, absolute Mehrheit zu erreichen

Von **Wilhelm Stampfel**

Bonn, 2. April

Die CDU-Führung ist überzeugt, daß die Union bei den nächsten Bundestagswahlen 1976 auch im Alleingang die absolute Mehrheit erringen und die sozialliberale Regierung ablösen kann. Sie will deshalb weder versuchen, die FDP „abzuwerben", noch hält sie es für nötig – wie der CSU-Vorsitzende Franz Josef Strauß vorgeschlagen hat –, die Gründung einer „vierten Partei" zu diskutieren.

Diese Bilanz zieht man in Bonn nach der gestrigen Routinesitzung des CDU-Präsidiums, die unter dem Vorsitz von Generalsekretär Biedenkopf stattfand, weil der CDU-Vorsitzende Kohl nach einer Mandeloperation einen kurzen Erholungsurlaub in Österreich angetreten hat. Vor seiner Abreise hat Kohl aber in einem Interview mit der Deutschen Presse-Agentur die Marschroute abgesteckt:

● Eine Ausdehnung der CSU auf das Bundesgebiet oder die Gründung einer bayerischen CDU ist „nicht aktuell".

● Eine gemeinsame Wahlstrategie für die Bundestagswahlen wird im nächsten Jahr gemeinsam von der CDU und CSU festgelegt.

● Erst wenn dies geschehen ist, soll über die Frage des Kanzlerkandidaten der Union entschieden werden.

● Die CDU wird weiter „eine vernünftige Politik der Mitte" betreiben.

Das CDU-Präsidium unterstrich die Auffassung Kohls, daß keine Überlegungen über eine „vierte Partei" angestellt werden sollten. Generalsekretär Biedenkopf sagte nach der Sitzung, dies sei keine Absage an Strauß, vielmehr bringe die CDU zum Ausdruck, daß sie andere Strategie-Vorstellungen habe. Sowohl Strauß als auch Kohl seien sich in dem Grundsatz einig, die Union wieder zur stärksten Kraft zu machen.

In einer Analyse der letzten Wahlergebnisse kam das Parteipräsidium zu der Auffassung, daß sich die CDU als „mehrheitsfähige Alternative zum SPD/FDP-Bündnis" erwiesen habe. Das Vertrauenspotential der CDU bei den Wählern steige.

Hamburger Abendblatt, 2. 4. 1974

Die Marine schließt sich der Meuterei an

Addis Abeba (ap) Die Meuterei der zweiten äthiopischen Armeedivision in der Stadt Asmara im Norden des Landes hat am Mittwoch auf den äthiopischen Kriegshafen Massaua am Roten Meer übergegriffen. Die Marine schloß sich damit der Forderung ihrer Kameraden vom Heer und von der Luftwaffe nach höherem Sold und sozialen Vergünstigungen an. Wie aus informierten Kreisen in Massaua verlautete, übernahmen die Meuterer in friedlicher Form das Kommando über den Hafen. Die äthiopische Marine besteht aus rund 1700 Mann und 190 Offizieren sowie 125 Marineinfanteristen, die fast alle in Massaua stationiert sind. Die äthiopische Regierung hat gestern bei Kaiser Haile Selassie ihren Rücktritt eingereicht. Der Kaiser nahm, wie ein Sprecher des kaiserlichen Palastes am Abend bekanntgab, das Rücktrittsangebot an.

Kieler Nachrichten, 5.3.74

Schlesinger ist besorgt über sowjetische Raketenrüstung

Skeptische Beurteilung der Entspannungspolitik

Washington (ap) **Das amerikanische Verteidigungsministerium ist nach den Worten von Minister Schlesinger überrascht und besorgt über die massive sowjetische Raketenrüstung im vergangenen Jahr.**

In seinem jetzt veröffentlichten Jahresbericht erklärte Schlesinger, es könne die Zeit kommen, da die sowjetische Raketenstreitmacht eine ernste Bedrohung der Verteidigungskraft der USA darstelle. Er sprach von einer „wirklich massiven" Raketenrüstung der Sowjets, die offensichtlich die Entwicklung einer großen Anzahl schwerer und möglicherweise sehr treffgenauer atomarer Mehrfachsprengköpfe erwogen.

Skeptischer als Präsident Nixon und Außenminister Kissinger äußerte sich Schlesinger zu den Aussichten der Entspannungspolitik. Sowjetische Handlungen während des Oktoberkrieges im Nahen Osten hätten gezeigt, daß Entspannung nicht das einzige „und unter bestimmten Umständen nicht das vorrangige politische Ziel der UdSSR" sei. Die Drohung mit einer direkten militärischen Intervention sei ein weiteres Beispiel für die Bereitschaft Moskaus gewesen, „Risiken hinsichtlich des Weltfriedens" einzugehen.

Schlesinger erläuterte in dem Bericht die neue Strategie des Pentagon bei der Planung atomarer Auseinandersetzungen. Diese Strategie, die weiterhin auch einen massiven Vergeltungsschlag gegen sowjetische Städte vorsieht, soll dem Präsidenten der USA vermehrte Möglichkeiten geben, auf einen Atomangriff gegen die USA oder ihre Verbündeten in Europa zu reagieren. So wird die Zahl der militärischen und industriellen Ziele vergrößert.

Kieler Nachrichten, 5.3.74

80

Kurznotizen...

Luftverkehrsabkommen

In Peking werden heute chinesisch-japanische Regierungsgespräche fortgesetzt, die die Bedingungen eines Luftverkehrsabkommens beinhalten. Das Abkommen sieht eine regelmäßige Verbindung zwischen beiden Hauptstädten vor.   dpa

China bestellt

Die Gutehoffnungshütte Sterkrade AG und AEG Telefunken erhielten aus der VR China den Auftrag zur Lieferung von 23 kompletten Fördermaschinen für den Bergbau. (Gesamtwert rund 20 Mill. DM)
                        vwd

Bierexport gestiegen

Nach Angaben des deutschen Brauerbunds wurden 1973 insgesamt 1,9 Mill. Hektoliter Bier aus der Bundesrepublik ausgeführt. Das entspricht einer Steigerung gegenüber 1972 um 13,6%.
                        vwd

Weniger geraucht

Der Zigarettenverbrauch in der Bundesrepublik ist nach vorläufigen Berechnungen des Statistischen Bundesamtes 1973 um 0,8% auf 125,5 Mrd. Stück zurückgegangen. Der Zigarrenkonsum ging um 8,2% und der Verbrauch von Pfeifentabak um 5,1% zurück. Der Feinschnittverkauf stieg dagegen um 11,8%.
                        ap

Naturschutz für Eisbären

Eigener Bericht - SAD

Kopenhagen, 15. März

Wird der Eisbär bald unter Naturschutz stehen? Eine Antwort auf diese Frage sucht eine Gruppe dänischer Zoologen, die am 20. März nach Grönland fliegt. Die Wissenschaftler wollen die Gefahren untersuchen, die den Eisbären durch die Jagd der Eskimos drohen. Zunächst soll das Abschießen der Tiere zwischen dem 1. Juni und dem 31. Oktober verboten werden. Norwegen hat soeben beschlossen, die Eisbärenjagd für fünf Jahre zu verbieten. In Sibirien dürfen keine Eisbären mehr abgeschossen werden. Kanada und die USA erwägen die Einführung von Abschußquoten.

Hamburger Abendblatt, 21. 3. 1974

81

Blick in die Welt

Zugunglück in Bangladesh

Dacca (ap). Bei einem wahrscheinlich von Saboteuren verursachten Zugunglück in Bangladesh sind gestern nach Mitteilung der Behörden mindestens sieben Menschen ums Leben gekommen. 15 Fahrgäste erlitten zum Teil lebensgefährliche Verletzungen. Nach Darstellung zuständiger Stellen entgleiste zwischen Chittagong und Dacca ein Postzug. Eine Untersuchung ergab, daß an der Unglücksstelle ein Schienenstück von Unbekannten entfernt worden war.

Aufklärungsflugzeug erwischt Tanker beim Ölablassen

Warrenton (ap). Ein Aufklärungsflugzeug der US-Küstenwacht hat den unter liberianischer Flagge fahrenden Tanker „Esso Berlin" (22 410 BRT) im Pazifik fotografiert, während er offensichtlich Öl ins Wasser pumpte. Das Schiff zog eine etwa 25 Kilometer lange und 300 Meter breite Ölbahn hinter sich her. Es befand sich rund 35 Seemeilen vor der amerikanischen Westküste und verstieß durch das Ölablassen gegen den internationalen Vertrag, der dies in einer 50-Meilen-Zone verbietet.

Lauter Neid

Barcelona (Eig. Ber.). Ein Kuß auf offener Straße sei noch kein Verstoß gegen die Moral und die guten Sitten, entschied ein Richter in Barcelona. Freigesprochen wurde damit ein junges spanisches Liebespaar, das vor den Kadi zitiert worden war, weil es sich auf der Plaza de España in Barcelona lange und innig umschlungen geküßt hatte. Die Liebesszene hatte den Unwillen der Wachtposten einer benachbarten Polizeikaserne erregt und zur Anzeige geführt. Nach dem Freispruch empfahl der einsichtige Richter den beiden Verliebten, sich ab sofort nicht mehr auf belebten Straßen oder an solchen Orten zu küssen, wo dies den Neid der Mitmenschen erregen könnte.

Vierbeinige Rasenmäher

Johannesburg (np). Nützliche Arbeit leisten neuerdings die Impalas, Zebras und Büffel im Krüger-Nationalpark in der südafrikanischen Provinz Transvaal. Man beschäftigt sie erfolgreich als „Rasenmäher". Sie sollen das Gras beiderseits der für die Besucher angelegten Wege kurz halten, so daß bei Buschbränden das Feuer nicht auf die andere Straßenseite überspringt. Damit die Tiere nun besonders intensiv an den Wegrändern weiden und nicht das Grünfutter im Busch vorziehen, lockt man sie mit einer appetitanregenden Maßnahme an die richtigen Stellen: Man besprüht das Gras mit süßer Zuckermelasse.

Weser Kurier, 3. 4. 1974

WELTCHRONIK

Beim Trinken gleichberechtigt

Chicago. (rtr) Chicagos Männer haben eine Schlacht im Kampf um die Gleichberechtigung gewonnen. Künftig werden sie beim Schnapstrinken in den Bars der Stadt nicht mehr benachteiligt sein. Vorkämpfer gegen die Diskriminierung des männlichen Geschlechts war Rechtsanwalt Michael Polelle.

Er fühlte sich in seinen Grundrechten als amerikanischer Bürger beeinträchtigt, als er feststellen mußte, daß in einer Bar von Chicago Damen während der sogenannten „happy hours" (glückliche Stunden) am Donnerstagnachmittag Drinks für 40 Cents (rund 1,08 DM) bekamen, während er selber dafür 90 Cents berappen mußte.

Fische fielen vom Himmel

Darwin. (rtr) Hunderte von kleinen Meeresfischen sind in den vergangenen zwei Wochen auf eine etwa 320 Kilometer von der See entfernte Rinderfarm in Nordaustralien niedergeregnet. Meteorologen und Naturkundler in Darwin vermuten, die Tiere könnten von einem Tornado aus dem Wasser gesogen und aufs Land geweht worden sein.

Don Quichottes Windmühlen sind gerettet

Campo de Criptana. (afp) Die drei Windmühlen, gegen die der Ritter von der traurigen Gestalt, Don Quichotte, in Gervantes' Roman eine Schlacht geliefert hatte, werden vor dem Verfall gerettet. Die über 400 Jahre alten Windmühlen „El Infanto", „Burleta" und »El Sardinero« in der Sierra de la Paz werden dank einer Subvention des spanischen Informations- und Fremdenverkehrsministeriums jetzt renoviert.

Zur Zeit von Cervantes gab es in der Sierra de la Paz 36 Windmühlen, von denen nur noch etwa zehn übriggeblieben sind.

Antilopen „riechen" den Schnee

Berlin (ap). Sowjetische Wissenschaftler haben bei den in den Steppen- und Wüstengebieten Kasachstans lebenden Saiga-Antilopen die Fähigkeit festgestellt, bevorstehende Schneefälle bereits mehrere Tage vorauszuspüren. Nach einem Bericht der Ostberliner Nachrichtenagentur ADN verlassen die Tiere dann eilig das vom Schnee bedrohte Gebiet und ziehen bis zu 500 Kilometer weiter zu anderen Futterstätten. In diesem Winter beobachteten die Wissenschaftler eine Antilopenherde mit etwa 50 000 Tieren, die bei heiterem Himmel ein Steppengebiet am Aral-See verließ. Zwei Tage später fiel dort Schnee.

Drei Millionen Liter Schnaps verbrannten

Adelaide/Australien. (rtr) Bei einem Brand in einer Schnapsbrennerei in Adelaide in Australien sind am Montag etwa drei Millionen Liter Branntwein und Spirituosen vernichtet worden. Ein Sprecher des Unternehmens schätzte den Schaden auf etwa vier Millionen australische Dollar (rund 15,5 Millionen DM).

Nach einem Brand in einem Vorratslager waren die Spirituosen explodiert. Noch zwölf Stunden nach dem Ausbruch des Feuers konnten die Flammen nicht gelöscht werden.

pfiffikus weiß alles

Schwieriger Eingriff

Uwe K. – Frage: Du schriebst vor einiger Zeit etwas über die Wiege der Menschheit, die wohl in Afrika gestanden haben soll. Kannst Du mir auch sagen, wie unsere sogenannten Vormenschen von ihren Ärzten behandelt wurden, wenn sie krank waren?

Antwort: Wie die Zauberärzte des Höhlen-Zeitalters ihre Kranken behandelt haben, kann heute niemand mehr sagen. Am erstaunlichsten aber ist, daß sie sich bereits an Eingriffe heranwagten, die noch in unserer Zeit zu den gefährlichsten und gewagtesten zählen: an Schädelbohrungen und -öffnungen. Sicherlich sind viele von denen, die solchen Operationen unterzogen wurden, gestorben, aber die nicht geringe Zahl von Schädeln mit gut vernarbten Bohrlöchern, die man in Frankreich, Spanien, Deutschland, Österreich, Rußland, Polen und England gefunden hat, beweist, daß der schwere Eingriff häufig genug auch überstanden wurde.

Eier vom Saurier

Pit G. – Frage: Straußeneier sind ganz schön groß. Manche Saurier haben auch welche gelegt. Hat man noch keine gefunden?

Antwort: Doch und zwar 1961 im Tal der Durance bei Aix-en-Provence in Frankreich. Sie hatten eine Länge von 30,5 cm und einen Durchmesser von 24,5 cm. Gelegt hat sie ein über neun Meter langer Sauropode mit Namen Hypsilosaurus priscus vor sage und schreibe 80 Millionen Jahren.

NRZ, Ostern 1974

Das Wetter

Bewölkt

Bewölkt mit Aufheiterungen; gebietsweise dunstig und vereinzelt etwas Niederschlag. Temperaturen um 15 Grad, nachts um fünf Grad. Weitere Aussichten: Leicht unbeständig. Temperaturen wenig niedriger.

	Samstag		Sonntag
SA	5.46 Uhr	SA	5.44 Uhr
SU	19.28 Uhr	SU	19.30 Uhr
MA	1.27 Uhr	MA	1.59 Uhr
MU	9.40 Uhr	MU	10.44 Uhr

Weg war der Wagen

■ Gelegenheit macht Diebe. Diese Weisheit ist keineswegs neu. Sie scheint aber vor allem vielen Autofahrern völlig unbekannt zu sein. So klagt die Kriminalpolizei über zunehmende Diebstähle von Autos, deren Besitzer den Zündschlüssel in den kurz abgestellten Fahrzeugen zurückließen.

■ Dabei haben die wenigsten soviel Glück wie ein Frankfurter Rentner, der seinen Wagen vor einer Reinigung parkte, um schnell „nur einige Wäschestücke" abzuholen,

und der Bequemlichkeit halber den Zündschlüssel stecken ließ. Als er zurückkehrte, sah er gerade noch das Heck seiner Limousine um die nächste Kreuzung biegen.

■ Die sofort verständigte Polizei löste Funkfahndung aus und konnte kurze Zeit später den Täter, einen 18jährigen erwerbslosen Tankwart, festnehmen.

■ Übrigens hat solcher Leichtsinn dann, wenn der Dieb nicht gefunden wird, für den Geschädigten böse Folgen: Die Ver-

sicherung springt hier nämlich nicht ein!

Abendpost/Nachtausgabe, 8. 3. 74

Nach dem Überfall ging alles schief

Berliner Bankräuber „plünderten" in Bern

In einem Berner Gefängnis kamen jetzt zwei Berliner Bankräuber ins Plaudern. Olaf E. (23) und Fritz H. (26) gaben zu, im Dezember vergangenen Jahres die Deutsch-Südamerikanische Bank in Charlottenburg überfallen und um 18 000 Mark erleichtert zu haben. Aber was ihnen danach passierte ...

Nach dem Überfall schafften sie sich einen ge-

brauchten Mercedes 250 an. Olaf E. zum Komplicen: „Der kostete sieben Mille." Tatsächlich aber waren es nur fünf.

Dann ging es mit der Neuerwerbung in Richtung Schweiz. Bei Frankfurt spielte Fritz H. im Wagen mit einer Pistole. Ein Schuß löste sich und durchschlug die Windschutzscheibe.

In Bern entdeckte das Duo im Schaufenster eines Juweliergeschäftes eine ihnen zusagende brillantenbesetzte Uhr. Um sie zu angeln, schoß Olaf E. ein Loch in die Scheibe. Das Ergebnis: Auch die Uhr wurde demoliert.

Einen Tag später schnappte sie die Polizei. Bei einer Routinekontrolle ... *bt.*

BZ, 5. 3. 1974

„Sprung in den Alltag" endete mit Beinbruch

kh Mannheim. – Mit einem Beinbruch endete die Herrschaft des Mannheim-Ludwigshafener Fastnachtsprinzen Frank I. von Reprographien.

● Beim traditionellen Heringsessen sollte der Prinz von einem Thron in den grauen Alltag zurückspringen.

● Aber der entthronte Prinz verpaßte das ausgebreitete Sprungtuch, landete daneben und brach sich ein Bein.

Abendpost/Nachtausgabe,
1. 3. 74

berliner telegramm

Rentnerin im Flur überfallen

Im Flur ihres Wohnhauses in der Liebenwalder Straße in Wedding wurde gestern nachmittag die 76-jährige Else E. überfallen. Ein etwa 50jähriger Unbekannter raubte der Frau die Handtasche mit 400 Mark Bargeld, Postscheckkarte, Sparbuch und Ausweis.

Lastwagen rammte Taxi

Ein Lastwagen rammte gestern in der Pankstraße in Wedding ein parkendes Taxi. Während der Lkw einen Straßenbaum umriß, beschädigte das Taxi einen anderen Personenwagen. Durch herabfallende Äste wurde ein Fußgänger leicht verletzt. Nach Angaben des Lkw-Fahrers hatten die Bremsen am Wagen versagt.

Einbruch in City-Boutique

Reiche Beute machten unbekannte Einbrecher in einer Boutique am Kurfürstendamm. In der Nacht zum Mittwoch brachen sie vom Hof aus eine Fenstervergitterung heraus und stahlen 150 Kaninjacken im Wert von 60 000 Mark.

BZ, 1. 3. 74

Räuber ins Gewissen geredet – Flucht ohne Beute

Ein Räuber, der gestern nachmittag um 15.30 Uhr in einem Schmuckgeschäft an der Radolfzeller Straße die Verkäuferin mit einer Pistole bedrohte, ließ von seinem Vorhaben ab, als ihm die Frau ins Gewissen redete. Zunächst antwortete sie, als er Geld forderte, sie habe nichts in der Kasse. Dann kam eine Kundin dazu, und beide hielten dem Räuber vor, was er für eine gemeine Tat vorhabe. Schließlich sagte er: „Sie haben recht." Er wandte sich um, steckte die Pistole ein und flüchtete ohne Beute. jf

Süddeutsche Zeitung, 27. 9. 1974

Schlüssel zu den Übungen

Abendzeitung

4. **a.** Die Zeitung schrieb, daß die Politessen in Madrid ertappten Verkehrssündern großzügig entgegen kämen. **b.** Der Bericht erwähnte auch, daß Milagros Casero Nuno eine von den zehn Politessen sei, die in München mit Vertretern des ADAC sprachen. **c.** Eine Kollegin berichtete, daß eine der Politessen in ihrer vierjährigen Tätigkeit rund 36 000 Fahrzeuge habe abschleppen lassen. **d.** Es wurde auch davon gesprochen, daß einmal in der Woche für jede Straße in Stockholm Nachtfahrverbot sei.

5. **a.** hat / **b.** machen / **c.** ein / **d.** bei

Berliner Morgenpost

3. **a.** würden / **b.** hätten . . . können / **c.** müßten / **d.** hätten . . . können / **e.** können

4. **a.** Durfte man wirklich selbst den Wagenheber ansetzen und die Schrauben lösen? **b.** Hatten sich wirklich viele Interessentinnen für den Kurs gemeldet? **c.** Ist Technik wirklich nichts für zarte Frauenhände? **d.** Veranstaltete der AvD diesen Pannenkurs wirklich kostenlos? **e.** Lernten sie wirklich etwas über das richtige Abschleppen eines Autos?

5. **a.** Im Artikel stand, daß die meisten Frauen jetzt ein Rad auswechseln könnten. **b.** Im Artikel stand, daß zuerst eine Stunde Theorie gemacht würde. **c.** Im Artikel stand, daß es noch viel mehr Praxis, viel mehr Übung geben müsse. **d.** Im Artikel stand, daß Technik nichts für zarte Frauenhände sei. **e.** Im Artikel stand, daß jeder an den Berliner Pannenkursen teilnehmen könne.

Bild

2. 1. + d. / 2. + a. / 3. + b. / 4. + c. / 5. + e.

3. a. Er war viel eifersüchtiger, als sie geglaubt hatte. **b.** Er war viel dümmer, als ich mir damals vorstellen konnte. **c.** Die Umweltverschmutzung war viel schlimmer, als wir geahnt hatten. **d.** Sie fuhr viel besser Auto, als er gedacht hatte.

Der Tagesspiegel

3. a. vorstellen / **b.** stellten . . . fest / **c.** verstehen / **d.** erfuhr / **e.** verstand / **f.** erfahren / **g.** stellte . . . fest

4. a. in . . . in . . . auf / **b.** Mit . . . ab . . . in . . . an / **c.** ins / **d.** zu / **e.** im . . . zu / **f.** mit

Die Welt

3. a. versuchen / **b.** üblich . . . empfohlenen / **c.** besteht / **d.** geweigert . . . beliefern . . . empfohlenen . . . einhalten

4. a. vielen . . . gibt . . . kalkuliert / **b.** hohe / **c.** verschiedenen

Frankfurter Allgemeine Zeitung

3. a. nahmen . . . auf / **b.** wahrzunehmen / **c.** aufgenommen / **d.** nehmen . . . wahr / **e.** aufnehmen / **f.** nachkommen

4. 1. + b. / 2. + d. / 3. + a. / 4. + c.

Frankfurter Rundschau

3. Amtszimmer = **c.** / Büro = **e.** / Fabrik = **a.** / Konzern = **f.** / Laden = **d.** / Zweigstelle = **b.**

4. a. profitierte / **b.** gewann / **c.** verdient / **d.** verdienen

Hamburger Morgenpost

3. a. Dann / **b.** noch / **c.** Bis / **d.** Bevor / **e.** weiter

4. a. erreichen / **b.** möglich / **c.** eilig / **d.** auf

5. a. aufzustellen / **b.** geeignete *oder* geeignetste / **c.** gezwungen / **d.** ausgegeben / **e.** weiten / **f.** bessere

Hannoversche Allgemeine

3. a. Er sagte, Tote im Automobilsport seien nichts Neues mehr in unserer Zeit. **b.** Er sagte, es bliebe zu hoffen, daß die Leute im Falle eines Unfalls helfen würden. **c.** Er sagte, Autorennen würden trotzdem weitergehen. **d.** Er sagte, nur wenige dächten an diejenigen, die im Rennwagen den Tod fanden. (*oder:* ... nur wenige würden an diejenigen denken ...). **e.** Er sagte, nur einer habe versucht, dem verunglückten Rennfahrer zu helfen. **f.** Er sagte, Geschäfte dieser Art brächten viel Geld. (*oder:* ... würden viel Geld bringen.) **g.** Er sagte, Autorennen seien längst zu einem gefährlichen Hasardspiel geworden.

4. a. kam ... ausgebrannt / **b.** bleibt ... sind / **c.** dachte

5. a. unternahm / **b.** gehandelt ... unternahm / **c.** durchgeführt / **d.** veranstaltet *oder* durchgeführt

Kölner Stadt-Anzeiger

3. a. Richtet eine Stadt ein neues Museum ein, so sollte sie versuchen, es attraktiv zu gestalten. **b.** Will der Chef des Museums Besucher anlocken, so muß er sich etwas Neues einfallen lassen. **c.** Soll Kunst für einen größeren Kreis interessant werden, so muß man sie ohne „Muff" anbieten. **d.** Ging man bisher in ein Museum, so war das Berühren der Kunstgegenstände immer verboten. **e.** Werden Bilder berühmter Maler ausgestellt, so ist das Interesse der Bürger oft recht groß.

4. a. aufgeschlossener / **b.** freigiebig / **c.** offensichtlich / **d.** öffentlichen / **e.** offensichtlich

Münchner Merkur

3. **a.** teilte . . . mit / **b.** informieren / **c.** schilderten / **d.** kündigte . . . an / **e.** angekündigt / **f.** Teilen . . . mit

4. **a.** Wenn Sie weiter so viel reisen, werden Sie das Haus nicht kaufen können. (*oder:* . . . nicht das Haus kaufen können.) **b.** Wenn Sie weiter so viele Fehler machen, werden Sie die Prüfung nicht bestehen können. (*oder:* . . . nicht die Prüfung bestehen können.) **c.** Wenn Sie weiter so viel essen, werden Sie das neue Kleid nicht anziehen können. (*oder:* . . . nicht das neue Kleid anziehen können.) **d.** Wenn Sie weiter so viel Arbeit haben, werden Sie nicht nach Spanien fahren können. **e.** Wenn Sie weiter so viel träumen, werden Sie nicht vorwärts kommen können. **f.** Wenn Sie weiter so viel fernsehen, werden Sie die Sprachschule nicht besuchen können. (*oder:* . . . nicht die Sprachschule besuchen können.) **g.** Wenn Sie weiter so viel Regen haben, werden Sie nicht Schifahren können. **h.** Wenn Sie weiter so viel rauchen, werden Sie nicht mehr Fußball spielen können.

Rheinische Post

3. **1.** + **f.** / **2.** + **b.** / **3.** + **e.** / **4.** + **a.** / **5.** + **c.** / **6.** + **d.**

4. **a.** ab / **b.** auf

Stuttgarter Zeitung

3. Arbeitgeber = **a.** / Arbeitnehmer = **h.** / Eisenbahner = **b.** / Fahrgast = **f.** / Gewerkschaftler = **g.** / Passagier = **c.** / Schaffner = **e.** / Straßenbahner = **d.**

4. **a.** Sie hätten gestreikt, wenn die Arbeitgeber nicht das Angebot erhöht hätten. (*oder:* . . . das Angebot nicht erhöht hätten.) **b.** Sie hätten den Busfahrer gefragt, wenn ihnen der Taxifahrer nicht geholfen hätte. (*oder:* . . . ihnen nicht der Taxifahrer geholfen hätte.) **c.** Sie hätten das Verkehrsamt gefragt, wenn ihnen die Stewardeß nicht ein Hotel empfohlen hätte. (*oder:* . . . ihnen nicht die Stewardeß ein Hotel empfohlen hätte.)

Süddeutsche Zeitung

3. Der Strafrest darf 18 Monate nicht übersteigen: **b.** / Ihre Begnadigung steht bevor: **b.** / Unter bestimmten Voraussetzungen können jugendliche Strafgefangene Ausgang erhalten: **a.**

4. **a.** Seit 1960 sind immer mehr Gefängnisse in der Bundesrepublik Deutschland modernisiert worden. **b.** Seit 1970 sind immer mehr Anträge auf Urlaub gestellt worden. **c.** Seit Mai 1974 sind immer mehr Einbrüche in Geschäfte und Büros verübt worden. **d.** Seit 1968 sind immer mehr Häftlinge wegen guter Führung vorzeitig aus der Haft entlassen worden. **e.** Seit Anfang 1974 sind immer mehr Autodiebstähle verübt worden. **f.** Seit 1958 sind immer mehr Gesetze reformiert worden. **g.** Seit 1969 sind immer mehr Jugendliche verhaftet worden.

Westdeutsche Allgemeine Zeitung

3. Sie begrüßten die Diskussion: **d.** / Sie warteten vergeblich auf die Hausfrauen: **a.** / Regen Sie sich nicht so auf: **b.** / Sie forderten zum Boycott auf: **c.**

4. **a.** an / **b.** ab / **c.** auf / **d.** auf / **e.** ein

Westfälische Rundschau

Kreuzworträtsel: Waagerecht: 1. Salbe; 4. Agent; 7. Liebe; 9. Sendung; 11. Asti; 12. Till; 13. Ter; 14. Ali; 15. Gas. **Senkrecht:** 1. Staat; 2. Blei; 3. ein; 4. Abu; 5. Gent; 6. teils; 8. edel; 9. Str.; 10. Gig.

3. **a.** ergab / **b.** finden / **c.** erreichen / **d.** wenden / **e.** ergeben . . . lösen

4. **a.** hat . . . ist / **b.** wollen . . . sind / **c.** hat . . . ist / **d.** hätte . . . wären . . . worden / **e.** hat . . . würden . . . wäre / **f.** sind . . . sein

Wortschatzregister

Die Zahlen hinter den Eintragungen verweisen auf die Seiten, auf denen das betreffende Wort oder der betreffende Begriff im Rahmen der „Erläuterungen zum Text" vorkommt.

96